# 노년의 탄생

# 노년의 탄생

이재규 지음

사과나무

# 머리말

21세기를 사는 사람들은 길을 잃었다. 앞길을 밝혀 줄 등대도 없다. 조직의 수명은 단축되고, 자연 수명이 100세 가까이 늘어난 개인의 삶이 어떠할지에 대해 역사는 별로 가르쳐 줄 것이 없다. 나이는 숫자에 불과하다는 말은 공허한 담론이고, "사람은 호기심을 잃을 때부터 늙기 시작한다"는 말 역시 위로를 받기 위한 수사(修辭)일 뿐이다. 자유와 열정으로 장수를 누린 거장들의 이야기는 그래서 우리에게 자극이 되고, 그들의 이야기는 멋진 노년을 준비하는 개인들에게 거울이 되어줄 것이다.

피터 드러커는 수명이 길어진 시대, 그리고 지식사회에서 사람들이 인생 제2막을 의미있게 살려면 자기관리를 해야 한다고 조언한 후 95세의 긴 인생을 마감하고 세상을 떠났다.

드러커는 <21세기 지식경영>에서 이렇게 주장했다. "일반적으로 개인은 자신이 30세 전후에 근무하기 시작한 어떤 조직이 60세가 될 무렵까지 여전히 존속할 것이라고 기대할 수 없게 되었다. 뿐만 아니라, 40~50년간 같은 일만을 한다는 것은 대부분의 사람들에게는 너무나 긴 기간이다."

기업의 부침(浮沈)으로 인해 근로자들이 평생 한 직장, 한 가지 일만 할 수 없다는 것은 이제 분명한 원칙이 되었다. 따라서 지식 근로자는 한 분야의 지식을 더 배워야 할 뿐만 아니라, 끊임없이 새로운 것을 배우지 않으면 안 되게 되었다.

이제 우리나라 사람들의 평균 수명도 80세에 가깝고, 그 숫자는 빠르게 올라가고 있다. 60세 전후에 정년을 맞은 사람들은 20년 이상을 더 살아야 한다. 게다가 그것은 평균치이므로, 건강한 사람들은 인생의 후반기 30~40년 동안 무엇인가를 하면서 보내야 한다.

드러커는 이렇게 말한다. "오랫동안 같은 일만 되풀이하던 사람들은 정년이 가까이 되면, 일이 손에 잡히지 않게 되고, 일이 싫증나고, 하는 일에 흥미가 사라지고, 스스로를 짐스럽게 여기게 되고, 또한 주위 사람들에게 부담이 되고 만다. 하지만 위대한 예술가들을 포함한 성취인(成就人)들에게 은퇴 후 무엇을 할 것인가라는 고민은 필연적인 문제는 아니다."

이 책에는 자신의 노년을 인생의 마무리가 아닌 새로운 탄생으로 일궈낸 18명의 인물이 등장한다.

인상주의 이후 최고의 화가 파블로 피카소(92세)는 70대의 나이에 새로운 형식의 유파를 개척했고, 90세가 넘어 죽을 때까지 그림을 그렸다. 20세기 최고의 연주자인 첼리스트 파블로 카잘스(97세)는 생의 마지막 날에도 새로운 곡을 연주할 계획을 세웠고 또한 연습을 했다. 어느 기자가 "역사상 가장 위대한 첼리스트이신 선생님께서 아직도 하루에 6시간씩 연습을 하신다는데, 이유가 무엇입니까?"라고 묻자, 카잘스는 이렇게 대답했다. "95세인 지금도 연습을 통해 조금씩 나아지고 있다네."

르네상스 시대의 조각가 미켈란젤로는 당시로서는 긴 수명인 89세까지 살았다. 그가 600평방미터나 되는 시스니타 경당의 대형 천장화를 그릴 때의 일이다. 받침대에 누운 채 천장 구석에 작은 인물 하나를 조심스럽게 그려 넣고 있을 때 친구가 다가와서 물었다. "그렇게 구석진 곳에 잘 보이지도 않는 인물 하나를 그려 넣으려 그 고생을 한단 말인가? 그게 완벽하게 그려졌는지 누가 안단 말인가?" 미켈란젤로가 대답했다. "내가 알지."

와인업계의 거장 로버트 몬다비(94세)는 실패를 두려워하지 않고, 늦은 나이에도 늘 새로운 일을 시도했다. 그는 말했다. "단 하루도 그 일을 하지 않고는 못 배길, 가장 사랑하는 일을 찾아라. 즐겁게 일하다 보니 성공은 저절로 따라왔다."

우리가 역사를 배우는 것은 미래의 지침을 얻고자 하기 때문이다. 나이를 잊고 일과 사랑과 삶에 충실했던, 그러면서도 의미있게 오래 산 인물들의 이야기는 21세기 사람들에게 용기와 방향을 제시해줄 것이다.

이 책은 CEO를 대상으로 하는 월간지 〈엑설런스〉 지에 2007년부터 2009년 2월까지 연재했던 글을 가필하여 묶은 것이다. 먼저 〈엑설런스〉 지의 유승용 사장에게 감사의 말을 드린다. 그리고 경제가 침체한 이때 책을 출판해준 사과나무 출판사 권정자 사장에게도 감사의 마음을 표한다.

2009년 4월 이재규

차례

# 로버트 몬다비

*Robert Mondavi*

94세(1913–2008)

"즐겁게 일하다 보니
성공은 저절로 따라왔다."

## 미국 언론, 와인 거장의 사망을 알리다

2008년 5월 16일, 미국 언론들은 일제히 로버트 몬다비(Robert Mondavi, 1913-2008)가 나파밸리 욘트빌 자택에서 94세로 타계했다는 소식을 전했다. 1961년 영화배우 게리 쿠퍼가 사망하자 케네디 대통령은 성명서를 발표하고 애도의 뜻을 표시했다. 대통령이 일개 영화배우의 죽음에 대해 조의를 표한 것은 지나치다는 말이 세간에 나돌자 케네디 대통령은 다음과 같이 말했다. "대통령은 정치계에서 가장 높이 올라간 사람이라면, 게리 쿠퍼는 대중예술 영화계에서 가장 높이 올라간 사람이다."

로버트 몬다비는 어떤 사람이기에 미국 언론들이 그의 죽음을 주요 뉴스로 다룬 것일까?

몬다비는 1966년, 값싼 포도주 생산지의 대명사인 캘리포니아

■ ■ ■

**나파밸리(Napa Valley)**

미국 와인의 90%는 캘리포니아에서 생산되는데, 캘리포니아 와인의 본산지가 나파밸리이다. 나파밸리는 샌프란시스코 만 북부의 나파(Napa)시를 기점으로 29번 도로를 따라 북쪽으로 욘트빌(Yount- ville), 오크빌(Oakville), 러더퍼드(Rutherford), 세인트 헬레나(St. Helena)를 거쳐 캘리스토가(Calistoga)까지 도로 양쪽으로 펼쳐진 계곡 지역을 말한다.

에 로버트 몬다비 와이너리를 세우고 나파밸리를 세계적인 와인제조와 와인 관련 문화 중심지로 탈바꿈시켰다. 그리고 자신은 와인 홍보대사 역할을 자청했다.

와인으로 큰돈을 모은 몬다비는 88세 때인 2001년 '미국 와인 · 음식 · 미술 센터'(The American Center for Wine, Food and the Arts)를 설립했고, 2002년에는 캘리포니아 데이비스 대학(UC Davis)에 몬다비 센터를 건설하는데 1천만 달러를 기부했다. 몬다비는 19세기에 건립된 나파밸리 오페라 하우스와 욘트빌의 링컨 센터(Lincoln Theatre in Yountville, California) 재건, 그리고 새로운 예술학교 옥스보스쿨(Oxbow School)을 설립하는데 주요 역할을 했다. 스탠포드 대학교의 캔토 아트센터(Cantor Arts Center)의 설립에도 후원했다.

자신의 와이너리는 2004년 컨스텔레이션 브랜즈에게 넘어갔지만, 몬다비는 2006년 6월 캘리포니아 데이비스 대학이 '로버트 몬다비 와인 앤 푸드 과학연구소'를 설립하는데 2,500만 달러를 기부해 대학이 와인발전에 큰 역할을 할 수 있도록 했다. 미국 와인 산업으로서는 가장 큰 사건으로 받아들여지는 이 기공식에는 삽 대신에 와인 산업을 상징하는 초대형 포크가 사용되었다.

2007년 12월 5일 캘리포니아 주지사 아놀드 슈워제네거는 캘리포니아의 주도 세크라멘토에 위치한 캘리포니아 역사와 여성, 예술 박물관(The California Museum for History, Women and the Arts) 명예의 전당에 몬다비의 이름을 헌액했다.

## 아메리칸 드림

몬다비의 부모는 이탈리아의 마르케(Marche) 지방에서 태어난 소작농으로, 20세기 초 미국으로 건너온 이민자였다. 몬다비 가족은 캘리포니아 로디(Lodi)로 이주하여 '체사레 몬다비 앤 선스'(Cesare Mondavi and Sons)라는 와인 제조 및 식품 · 와인 수송업을 경영했다. 1913년 미네소타에서 태어난 몬다비는 이탈리아와 유럽의 문화적 전통을 고스란히 느끼며 자랐다. 이탈리아 사람에게는 낙천적인 기질과 완벽에 대한 열정이 있다. 몬다비 가족의 식사시간은 늘 즐거움이 넘쳐났고, 이런 행복한 식탁 분위기를 모든 미국인들에게 소개하고 싶다는 몬다비의 열정이 좋은 와인을 만들어보겠다는 꿈으로 자연스럽게 발전했다.

1919년 미국에서 금주법이 발효되었다. 이 법은 독주(毒酒)와 백주(白酒)의 판매를 금지했지만, 집에서 마실 와인 양조는 연간 200갤런까지, 그리고 종교 성찬용 와인 판매는 허용되었다. 부지런하고 장사 수완이 좋았던 몬다비의 아버지는 소량의 가정용 포도주 양조가 허용되는 틈새를 이용하여 포도나무를 파는 등 와인 사업에 한발짝 다가갔다.

몬다비는 로디에서 고등학교를 졸업한 후 스탠포드에서 경제학과 경영학을 공부했고 3학년 때 평생의 진로를 결정하게 된다. 와인산업에 대한 잠재력과 비전을 제시한 아버지의 권유로, 1937년 스탠포드를 우등으로 졸업함과 동시에 버클리 대학에서 '포도 재배학'과 '와인 양조학'을 공부했다. 이어 캘리포니아 대학에서 와인 양조를 지속적으로 공부했다. 동생 피터도 스탠포드로 진학했고 나중에 U.C. 버클리 대학에서 와인 주조를 공부했다.

나파밸리에 첫발을 내디딘 1936년 가을 몬다비는 소규모 벌크 와인(bulk wine, 상표가 없는 저가 와인)을 생산하는 써니힐 와이너리에서 일하게 되었다. 아버지 친구가 경영하는 그곳에서는 오래 숙성시키지 않고 그해 바로 마실 수 있는 깨끗하고 저렴한 벌크와인을 만들고 있었는데, 자체 포도원 없이 나파밸리의 여러 포도원에서 포도를 구매하여 와인을 만들었다. 완성된 와인은 도매로 넘겨서 철도 수조차로 수송했다.

몬다비는 직장을 얻자 고등학교 때부터 사귀던 매기(Maggie)에게 청혼했지만, 북유럽 혈통인 그녀의 어머니는 이탈리아 사람들을 무시하여 몬다비를 사윗감으로 인정하지 않았다. 결국 두 사람은 1937년 결혼식을 올렸다.

### 찰스 크룩 와이너리

몇 년이 지나지 않아 써니힐 와이너리는 100만 갤런을 생산하는, 나파밸리에서 가장 중요한 벌크와인 생산업자 중 하나로 자리잡았다. 몬다비가 써니힐 와이너리에서 일하던 1943년, 불경기로 찰스 크룩 와이너리(Charles Krug Winery)가 매물로 나왔다는 소식을 들었다. 이 와이너리는 나파밸리의 초기 개척자 중 한 사람인 찰스 크룩에 의해 1861년 설립된 곳으로, 멀리 헬레나 산이 보이는 61만 평 부지에 자리잡고 있어 와이너리로 아주 이상적인 장소였다. 게다가 찰스 크룩 와이너리는 역사와 전통이 깊었다.

몬다비는 아버지에게 찰스 크룩 와이너리를 보여주었고, 그것으로 모두 해결되었다. 1943년은 몬다비 가문에게는 역사적인 해였다. 이제 몬다비 가문은 독자적인 와이너리를 갖게 된 것이다. 그 후 몬다비는 23년간 동생 피터와 함께 찰스 크룩 와이너리를 나파밸리의 유수한 와이너리로 성장시켰다.

1950년대부터 1960년대 초에 걸쳐 찰스 크룩 와이너리는 품질 좋은 테이블 와인(table wine, 미국에서는 보통 식사때 마시는 포도주를 말하지만, 유럽에서는 낮은 등급의 저가 와인을 말한다)을 생산하며 베린저 빈야드(Beringer Vineyard)와 더불어 나파밸리의 3대 와인으로 손꼽혔다.

그러나 세계 최고를 향한 열망으로 가득차 있던 몬다비는 당시 미국 와인의 품질에 만족할 수가 없었다. 그는 지금까지 자신의 비전을 너무 소박하게 잡고 있다고 생각했다. 회사를 다른 방향으로 이끌고 싶었던 몬다비는 1962년 49세에 첫 유럽 여행길에 올랐다. 프랑스의 보르도, 부르고뉴, 이탈리아의 토스카나와 독일의 모젤 지역을 둘러보며 세계 최고의 명성을 자랑하는 와인 양조업체들의 생산 방식과 저장고, 장비를 살펴보고 포도주 맛도 보았다.

미국과 유럽은 양조 방식과 장비의 접근 방법에서 근본적으로 달랐다. 유럽에서는 포도 품종마다 포도를 다루는 방법이 달랐고, 만드는 와인에 따라 독특한 방법과 스타일을 갖고 있었다.

몬다비는 프랑스 남부 해안 도시 리옹의 '라 피라미드' 레스토랑에서 식사를 하며, 유럽의 전통을 느꼈다. 그곳의 실내 분위기는 차분하면서도 격조 있었고, 식사중에 맛본 와인은 훌륭했다.

미국으로 돌아온 몬다비는 유럽의 전통과 미국의 기술, 이 두 세계를 결합하면 최고의 와인을 만들어낼 수 있다는 확신이 들었다. 몬다비는 가족들에게 최고가 되기 위해 혁신을 주장했다. 하지만 동생 피터를 비롯한 가족들은 그의 주장을 위험하고 무모하다고 생각했다. 그들은 이미 안정된 와이너리를 소유하고 있었고, 아름답고 유서 깊은 부지에서 안락하게 살고 있었다. 몬다비 가족회사의 지분은 부모가 40퍼센트, 몬다비와 피터가 각각 20퍼센트, 두 누이 헬렌과 메리가 나머지 20퍼센트를 갖고 있어 누구도 독단적인 결정을 내릴 수가 없도록 되어 있었다. 몬다비의 아내와 자식 외에는 호응하지 않았고, 좌절감은 점차 깊어만 갔다.

아버지가 타계한 후 형제간의 의견 대립은 한동안 수그러드는 듯했다. 그러나 몬다비가 와인의 질을 높이기 위해서 대대적인 변화의 필요성을 주장하자 피터는 형이 자기 영역을 침범한다고 느껴 크게 화를 냈다. 엎친 데 덮친 격이랄까, 몇 가지 오해를 받을 일이 생겼다.

몬다비가 유럽에서 돌아온 이듬해 찰스 크룩 와이너리에서 포도를 수확하느라 정신없이 바빴던 어느 가을날 오후였다. 몬다비는 황금색 봉인에 멋진 글씨가 쓰인 편지 봉투를 하나 받았다. 미국을 방문한 이탈리아 총리를 위해 케네디 대통령이 베푸는 만찬에, 성공한 이탈리아 이민자로서 몬다비 부부가 초대된 것이다. 몬다비는 백악관에 초대된 것을 가문의 영광으로 여겼다.

당시 몬다비의 연봉은 2만 4,000달러가량으로, 고급 파티복에 돈을 쓸 여유는 없었다. 아내의 코트를 사는 데 많아야 1,500달러 정도를 쓸 수 있다는 계산이 나왔다. 밍크코트를 입어 본 아내는 멋진 모습에 감격했다. 그러나 가격이 5,000달러였다. "언젠가 형편이 되면…" 하고 아쉬움을 달래며 몬다비 부부는 백화점을 나왔다. 며칠 후 그 밍크코트는 50퍼센트 할인된 2,500달러로 값이 내렸다. 고민 끝에 매기는 내년에는 절대 돈을 아껴 쓰기로 하고 백악관 만찬에 입고 갈 밍크코트를 구입했다.

피터는 형수의 밍크코트 구입 소식을 듣고 형 몬다비가 상류사회를 향한 욕망에 사로잡혔다고 분노했다. 쉰 살에 접어든 형제가 애들처럼 주먹다짐을 하는 사태까지 갔다. 형제의 주먹다짐은 나파밸리를 넘어서 미국 와인업계 전체로 금세 소문이 퍼졌다. 일부 험담꾼들은 현대판 카인과 아벨이라 말하기도 했다. 세상일은 소설보다 더 드라마틱했다. 만찬이 벌어지기 직전 1963년 11월 22일, 케네디 대통령이 암살되었다.

## 로버트 몬다비 와이너리

형제간의 격한 다툼 끝에 몬다비는 자유의 몸이 되었다. 인생의 전환점에 서게 된 것이다. 몬다비는 자신의 야망을 쏟은 와이너리를 만들기로 결심하고 네 가지 비전을 세웠다. 첫째, 세계 최고 수준의 고급 와인을 만들자. 둘째, 유럽의 전통적 기술과 미국의 최신 기술과 경영, 마케팅 노하우를 결합시키자. 셋째, 아름다운 와이너리 건물을 만들어 전 세계 와인 애호가와 관광객들을 끌어들일 관광 명소로 만들자. 넷째, 매일 우리의 와인을 시음하도록 사람들을 초대하고, 관광과 교육 행사를 통해 좋은 음식과 와인의 맛을 즐기는 법을 가르치자.

찰스 크룩 와이너리에서 쫓겨난 맏아들 마이클이 아버지의 뜻에 합류했다. 몬다비 부자는 작은 와이너리를 설립해 연간 2만 상자 정도 생산할 계획이라는 것을 동생 피터에게 알렸다. 그러나 동생은 찰스 크룩 와이너리와 경쟁업체가 된다는 이유로 절대 반대했고, 어머니도 동생 편을 들었다. 하지만 주사위는 이미 던져졌다.

몬다비는 나파밸리의 여러 곳을 찾아다니며 와이너리 부지를 물색했다. 나파밸리가 유명한 와인 생산지로 각광받게 된 데는 여러 개척자들의 노력의 결과였다.

1838년, 거칠고 모험을 즐기는 사냥꾼 조지 칼버트 욘트(George Calbert Yount)가 나파밸리에 텐트를 치고 혼자서 2층 통나무집을 짓고 살았다. 1852년부터 속속 정착민들이 나파밸리에 들어와 살기 시작했는데, 그들은 유럽의 우량 포도 품종을 심고 와인을 만

들기 시작했다. 1868년에는 해밀턴 워커 크랩(Hamilton Walker Crabb)이라는 선구적인 포도재배학자가 오크빌의 땅 30만 평에 포도를 재배하고 테이블 와인과 건포도를 생산하기 시작했다. 크랩은 점차 성공을 거두면서 포도원 이름을 고대 그리스어로 '아름다운'이라는 뜻인 토캘론(To Kalon)으로 바꾸었다.

몬다비는 포도원 부지로 토캘론이 완벽하다는 생각이 들었다. 트럭도 들어올 수 있어서 배송과 직원들 출퇴근도 쉬웠다. 또한 오크빌은 나파밸리로 진입하는 간선도로인 29번 고속도로 바로 옆에 위치해 있어서 관광객들을 끌어들일 최적의 조건을 갖추고 있었다. 몬다비는 우선 최상급지 1만 5000평을 구입했다.

1966년, 마침내 몬다비는 맏아들 마이클과 함께 '로버트 몬다비 와이너리'를 설립했다. 그의 나이는 밀크셰이크 기계 외판원이던 레이 크룩(Ray Kroc, 1902-1984)이 맥도날드 제1호점을 개설한 때와 같은 52세 때였다.

로버트 몬다비 와이너리는 초창기부터 포도 재배 농가와의 관계를 개선했다. 와인의 질은 양조 과정뿐만 아니라 포도원에서부터 결정된다고 생각한 것이다. 그는 포도 재배 농가와 긴밀하게 협력해서 포도 생산량을 제한하고 포도의 질을 높이도록 했다. 창업 첫해, 사소한 사항에도 혁신을 했다. 포도주의 병입 작업에서 최고급 장비를 도입하고 개선했다. 목표는 병입이 끝난 병 안에 가능한 한 산소를 없애는 것이었다. 빈 와인 병에 질소가스를 충전한 다음 와인을 채워 넣고, 그 상태에서 코르크로 막기 전에 공기를 빼내는 방법을 썼다.

몬다비는 와인 발효 탱크를 지금까지의 나무통에서 우유 저장용 대형 **스테인리스 스틸 탱크**로 바꾸었다. 다른 와인 제조업자들은 "몬다비가 또 어리석을 짓을 했군!"이라고 말했다. 그러나 50년이 지난 지금 스테인리스 스틸 탱크는 미국 와인업계에서 널리 쓰이고 있다. 몬다비는 처음부터 끝까지 품질 관리를 엄격히 유지하기 위해 포도를 으깨는 작업도 직접 했다.

1966년 포도 작황은 여러 가지 점에서 다행스러웠다. 6개월 뒤인 1967년 3월 첫 제품을 시장에 내놓았다. 품질은 몬다비가 최종적으로 원하는 수준에는 턱없이 못 미쳤지만 한 병에 1.79달러에 팔려서 순조로운 출발을 할 수 있었다.

몬다비는 항상 "정말 좋은 와인을 만드는 데 필요한 것은 무엇인가?"를 고민했다. 테르와르(terroir, 포도밭의 토양과 물, 기후 등 자연환경의 상호작용 전체를 의미함), 최고급 품종, 연구, 혁신, 최신 장비 등 하나라도 빠지면 안 된다. 그러나 이런 것들은 좋은 포도를 만들기 위한 충분조건일 뿐이다. 좋은 와인을 양조하는 데 필요조건은 사람이다. 포도원, 수확, 파쇄, 발효, 숙성, 병입, 코르크 밀봉 등 모든 과정마다 최고의 전문가들이 필요하다. 몬다비는 정기적인 와인 시음을 통해 와인 양조 과정에도 중요한 변화를 주었다.

몬다비가 독립한 지 얼마 되지 않아 예상한 대로 동생과 어머니가 법적으로 대응해 왔다. 몬다비는 찰스 크룩 와이너리의 주식과 의결권은 유지하고는 있었지만, 형제간의 법정 분쟁은 오래도록 이어졌다.

**스테인리스 스틸 탱크**

와인 제조의 현대화 과정에서 가장 중요한 발전은 스테인리스 스틸 탱크의 채용이었다. 와인 발효 탱크는 전통적으로 참나무로 만들어진 오크통이 사용되었다. 오크통은 발효 탱크로서 합리적인 재료이긴 하지만 두 가지 중요한 결점을 가지고 있다. 발효 중에 온도가 상승하는 것을 방지할 효과적인 방법이 없었고, 또 한 가지는 청결하게 청소하는 작업이 많은 시간을 요하는 일이었다. 획기적인 변화를 가져온 것은 1900년대 중반부터 도입되기 시작한 스테인리스 스틸 탱크이다. 이 커다란 스테인리스 스틸 탱크는 낙농업에서 사용되던 탱크를 변형시켜서 만든 것인데, 낙농업에선 무엇보다 청소의 편리함과 온도 조절이 중요했다. 처음 이 스테인리스 스틸 탱크를 도입한 와이너리들은 "그 속에서 와인을 만드는 거야, 우유를 만드는 거야?"라고 말하는 보수적인 동료들의 웃음거리가 되기도 했다. 그러나 스테인리스 스틸 탱크에서 와인을 제조할 때의 장점이 명백해짐에 따라 점점 더 많은 와이너리에서 이 방식을 채용하게 되었다. 때론 스테인리스 스틸 탱크에서 발효한 후에 오크통으로 옮겨 숙성시키는 방법을 사용하기도 한다.

## 고상하고 달콤한 곰팡이, 귀부(貴腐)

몬다비가 사업을 시작한 지 2년차 되던 1967년의 작황은 매우 나빴다. 일년 내내 비가 내렸고, 진흙탕에서 포도를 수확했다. 대부분의 포도송이 껍질이 쭈그러들고 퇴색되었다. 원인은 보트리티스 씨네레아(botrytis cinerea)라는 일종의 곰팡이 때문이었다. 보통 사람들 눈에는 보트리티스는 부패한 것처럼 보인다. 하지만, 보트리티스 씨네레아는 어떤 특정한 기후 환경 속에서 포도가 무르익을 때 포도껍질에 생성되어 포도에 좋은 영향을 주어 훌륭한 디저트 와인을 만들기 때문에 귀부(noble rot, 貴腐)라고 부른다.

보트리티스균이 먹은 포도의 맛은 아주 달다. 그래서 화이트 와인의 맛을 아주 부드럽고 꿀처럼 달게 만들어 주는 고상하고 달콤한 곰팡이이다. 어쨌든 1967년은 비록 와인 양조량은 적었지만 와인의 질은 아주 뛰어난 것으로 판명되었다.

1968년 몬다비는 당시 캘리포니아에서는 별로 재배하지 않던 쇼비뇽 블랑(Sauvignon Blanc) 품종을 재배하고 프랑스산 오크통에 숙성시켜 부드럽고 특색있는 매력적인 와인을 만들었다. 상표는 블랑 퓌메(Blanc Fume)를 미국식으로 바꾸어서 퓌메 블랑(Fume Blanc)으로 결정했다. 퓌메 블랑은 큰 인기를 얻었고, 그후로 로버트 몬다비 와이너리의 가장 대표적인 와인 중 하나로 자리잡았다. 이어 몬다비는 일련의 고급 와인을 출시했다. 1979년에는 로디 지역에 몬다비 우드브릿지 와이너리(Mondavi Woodbridge Winery)를 개원하여 대중을 상대로 한 고급 포도주를 생산했다.

1960년대 말부터 30여 년간 로버트 몬다비 와이너리에서는 저온 발효 기법(Cold Fermentation), 스테인리스 스틸 탱크와 오크통의 도입을 필두로 와인 양조법을 혁신해 갔다. 독자적인 와인 병을 고안해내고, 환경 보호를 위해 마개를 밀봉할 때 쓰이는 PVC 호일 사용을 배재했으며, 대신 밀랍을 사용하는 법을 고안해냈다. 사용한 품종의 이름을 레이블에 기재함으로써 신세계 와인(전통적으로 와인을 생산해오던 유럽이 아닌 지역, 즉 미국, 캐나다, 아르헨티나, 호주 등에서 생산하는 와인을 말함) 산업의 혁신적 계기를 마련했다.

## 와인 양조는 기술이지만, 좋은 와인은 예술이다

1960년대 초 몬다비는 와인협회 회원으로서 〈선셋〉 잡지의 새 사옥 입주식에 초대를 받았다. 160여 년 전 스페인 선교사들이 소노마와 나파밸리에 와서 캘리포니아 곳곳에 세웠던 스페인 선교원 스타일이었다. 몬다비는 스페인풍의 아름다운 건물을 보는 순간 "내가 앞으로 와이너리를 짓게 된다면 바로 이런 건물이 될 거야! 느낌이 정말 따뜻해"라고 생각했다. 그래서 선셋 하우스를 디자인한 건축가를 수소문했다. 그 사람은 캘리포니아에서 큰 목장을 경영하는 클리프 메이라는 디자이너라는 사실을 알았다. 클리프는 다음과 같이 답했다. "만일 당신이 저한테 이 일을 맡기실 거라면 2만 5000 상자 규모로 설계해 드리겠습니다. 대신 규모를 확장할 수 있도록 설계해 드리죠."

로버트 몬다비 와이너리

몬다비는 이렇게 대꾸했다. "나는 와이너리 건물을 본 사람들로부터 '여기 한 사람의 가슴과 영혼이 살아 있다'라는 말을 듣기를 바랍니다. 이것은 포도주 공장이 아니라 인간의 개성과 감정을 가진 집이라는 것을 사람들에게 말하는 그런 건물 말입니다."

클리프는 설계를 할 때, 정면에서 포도원 건물을 보면 둥근 아치가 있고 그 옆에 이탈리아 중세 교회에서 볼 수 있는 종탑을 멋지게 배치했다. 몬다비는 이 디자인이 토캘론 포도원의 전원적인 풍경을 살리면서도 기능성을 발휘할 것이라는 확신이 들었다. 그러나 건물을 지을 때만 해도 클리프의 디자인이 나파밸리를 상징하는 건물 중 하나가 될 것이고, 연간 30만 명의 관광객이 다녀가는 명소가 되리라고는 전혀 생각지도 못했다.

토캘론은 아름다운 자연경관을 갖추고 있어서 몬다비의 핵심 전략인 관광 사업에도 적합했다. 그러나 1966년 당시에는 미국 전역에서 고급 와인 시장은 물론 나파밸리를 찾는 관광객조차 없었다. 몬다비는 신생 기업으로서 브랜드를 알리고 고급 와인에 대한 전국적인 시장을 구축하는 데 필요한 마케팅, 홍보, 광고 등 광범위한 활동을 할 여력이 거의 없었다. 대신 와이너리를 아주 멋지고 매력적으로 만들어, 매일 수백 명의 관광객이 찾아오도록 해서 와인을 시음하게 할 계획을 세웠다.

사업 초기부터 몬다비는 직접 방문객들을 맞아 와이너리 곳곳을 안내했다. 분쇄기와 번쩍거리는 스테인리스 스틸 탱크를 보여주며 와인을 만드는 과정을 설명했고, 와인 판매점도 운영했다. 나파밸리는 관광객들에게 인기를 끌기 시작했다. 얼마 지나지 않아 레스토랑들이 속속 생겨나고 아침식사를 제공하는 B&B(bed & breakfast) 민박들이 들어서기 시작했다. 조용하던 작은 농촌이 활기를 띠기 시작했다.

1969년 몬다비는 '로버트 몬다비 와이너리 서머 뮤직 페스티벌'을 열었다. 와이너리 투어가 와인에 관광을 접목시켰다면, 뮤직 페스티벌은 와인에 예술을 접목한 것으로, 로버트 몬다비 와이너리의 연례 행사 중 백미였다. 그후 몬다비는 해마다 '8월의 콘서트'라고 이름붙여진 음악 행사를 열었고, 이런 마케팅 행사가 얼마나 큰 시너지 효과를 내는지 깨닫게 되었다. 그밖에도 미션투어(Mission tour), 와인 경매(Wine Auction) 등 몬다비는 많은 와인문화를 창출해냈다.

## 애호가의 가슴을 설레게 하는 최고의 와인

프랑스의 '샤토 무통 로칠드'는 그 이름만으로도 와인 애호가의 가슴을 설레게 하는 최고의 와인이다. 그 와인을 만드는 필립 드 로칠드 남작(Baron Philippe de Rothschild, 1902-1988) 가문은 유럽에서 금융, 와인, 예술, 자선사업을 하는 명망있는 귀족 가문이다. 남작과 몬다비의 첫 만남은 아주 뜻밖이었다. 1960년대 로칠드 남작은 캘리포니아 와인산업의 발전을 눈여겨보다가 몬다비가 이룬 성과에 흥미를 갖게 되었다. 1970년, 남작은 와인 박람회가 열리는 하와이로 몬다비를 초대했다. 남작은 몬다비에게 "함께 일해 볼 수 있는 방안을 생각해 볼까요?"라고 말했다.

몬다비는 깜짝 놀라 "아뇨, 없습니다. 우리가 함께 일할 수 있는 것이 가능하다고 생각하십니까?"라고 대답했다. 1971년, 몬다비는 아직 그 정도의 사업을 확장할 준비가 되지 않았다는 판단을 내렸다.

1974년과 1975년에 석유 위기가 닥쳤다. 연이은 미국 내 경기 침체로 벌크와인 시장이 곤두박질쳤고 그 여파로 와인업계 전체는 충격파를 맞았다. 나파밸리의 일부 와이너리들에게 경기 하강은 곧 경제적 파산을 의미했다. 몬다비에게도 1976년은 힘든 한

몬다비(왼쪽)와 로칠드 남작

해였다. 찰스 크룩 와이너리와 오랫동안 끌어오던 소송이 최악의 상황으로 치달았다.

로칠드 남작으로부터 제의를 받은 지 8년이 지난 1979년, 몬다비는 로칠드 남작이 소유한 보르도의 와인 명가 샤토 무통 로칠드(Chateaux Mouton Rothschild)와 손을 잡았다. 50대 50으로 합작하여 오퍼스 원 와이너리(Opus One Winery)를 만들고 "서로가 머리를 맞대고 심혈을 기울여 만들어낸 단 하나의 작품"라는 의미의 오퍼스 원(Opus One) 와인을 탄생시켰다.

오퍼스 원의 레이블을 만드는 데도 양쪽 모두 기준이 까다로워

여러 차례 의견이 오갔다. 몬다비 측에서는 말레트 딘과 지미 비어드 같은 디자이너가 있었고, 남작도 살바도르 달리, 샤갈, 피카소, 미로, 앤디 워홀과 같은 쟁쟁한 화가들에게 레이블 디자인을 의뢰해왔다. 결국 로고와 레이블 디자인은 샌프란시스코의 유명 디자이너 수전 페트가 맡았고, 몬다비는 디자인에 대해 여러 가지 제안을 했다. 수전은 남작과 함께 로고 작업을 하기 위해 프랑스에 2주 동안 가 있기도 했는데, 최종적으로 로칠드와 몬다비 두 사람이 서로 등을 맞댄 옆모습을 사용하기로 결론을 보았다. 세계 최고의 와인을 만들겠다는 몬다비의 꿈이 드디어 실현된 것이다. 맨손으로 미국으로 건너온 몬다비 부모의 꿈, 아메리칸 드림이 실현되는 순간이었다.

몬다비의 세계화 전략은 계속 이어졌다 이탈리아 프레스코발디(Frescobaldi) 가문과 합작하여 루체(Luce)를 출시했고, 칠레 에두아르도 타드윅 가문의 에라주리즈(Errazuriz)와는 세냐(Sena)를 선보였다.

## 포도나무도 경쟁이 필요하다

1970년대 말 40년간의 결혼 생활 끝에 매기는 지쳐갔다. 몬다비는 그렇지 않았다. 게다가 새 여자가 생겼다. 함께 있으면 생기를 느끼고 열정이 살아나는 것을 느꼈다. 1967년 입사한 마그릿 비버(Margrit Biever)였다. 스위스 출신으로 예능에 재능이 많은 마그릿은 다양한 마케팅 행사를 기획해 몬다비에게 큰 도움을 주었다.

전통적인 가톨릭 국가인 이탈리아인들에게 이혼은 생각할 수도 없는 일이었다. 하지만, 몬다비 부부는 최대한 우호적인 분위기로 결별했다. 몬다비가 이룩한 것은 두 사람이 함께 노력한 것이므로 반을 매기의 몫으로 주었다. 1980년 5월 17일 67세의 몬다비는 마그릿 비버와 공식적인 결혼생활을 시작했다.

로버트 몬다비 와이너리를 전 세계의 화가, 조각가, 사진가, 재즈와 클래식 음악가와 유명한 요리와 와인 생산자들을 위한 전시장으로 만든 것도 마그릿이었다. 몬다비는 80세를 넘기면서 회사의 경영권을 두 아들 마이클과 팀에게 넘겨주었다.

1990년 나파밸리와 소노마 카운티에 있는 수십 개의 와이너리를 황폐화시켰던 필록세라(phylloxera)가 로버트 몬다비 와이너리에도 덮쳤다. 거의 눈에 보이지 않는 이 해충은 미시시피 밸리 지역에 자생하는 것으로, 1850년대에 연구용 묘목에 묻어 프랑스에까지 건너가 프랑스 와인업계를 긴장시킨 적이 있었다. 역설적이게도 구세주도 미국산이었다. 세인트 조지와 같은 일부 미국산 대목(Rootstock, 臺木)이 유전적으로 필록세라에 저항력이 있는 것으로 밝혀졌다. 이들 포도나무 대목을 수입하여 전염되지 않은 유럽산 포도나무에 접목시킴으로써 저항력이 생기게 만들었다. 이 조치로 프랑스 와인은 기사회생하게 되었다.

몬다비는 1990년에 자신의 포도원 Q블록에서 필록세라를 처음 발견했다. 필록세라가 포도원에 전부 퍼지려면 5년 정도는 걸릴 것으로 예상했다. 그 사이에 품종을 바꿔가면서 생산 목표를 어느 정도 유지할 수 있을 것으로 생각했다. 하지만 2년 뒤, 대부분의 포도는 죽거나 2, 3센티만 남기고 다 시들어 버렸다. 그후 3년 만에 포도원 전체가 사라졌다. 몬다비는 포도원이 죽어가는 속도에 큰 충격을 받았으나, 이번에도 전화위복의 기회로 삼았다.

필록세라가 Q블록을 황폐화시킬 무렵, 몬다비는 포도원의 운영 철학을 바꾸고 있는 중이었다. 샤토 무통에서는, 나파밸리의 다른 포도원에서 오랫동안 해온 방식으로 포도를 심지 않았다. 포도나무를 훨씬 촘촘하게 심었다. 캘리포니아에서 포도나무 고랑은 3.7미터 간격을 유지했고, 한 고랑에서 포도를 심는 간격은 2.4미터였다. 무통에서는 고랑 사이는 1.2미터, 포도나무 사이의 간격도 1.2미터를 유지했다. "포도나무도 경쟁이 필요하다. 경쟁을 시키면 포도나무에서 포도는 적게 열리겠지만 포도 품질은 훨씬 좋아진다"라는 이론에 근거한 것이다.

필록세라가 Q블록을 황폐화시키자 몬다비는 유전적으로 강한 포도품종과 대목을 폭 1.2미터, 간격 1.2미터로 촘촘히 전체 포도원에 다시 심었다.

## 와인 · 음식 · 미술센터를 건립하다

1980년대 미국은 비교적 호황을 누리고 있었고 나파밸리는 단순히 경기가 좋은 정도가 아니라 폭발적이었다. 1981년 몬다비는 나파밸리에서 처음으로 지역 병원에 기부할 와인 자선 경매를 열어 32만 달러를 모았다. 1989년에는 경매가 1주일 내내 열리게 되었고, 전 미국 와인업계의 주요 행사로 자리잡게 되었다. 전국의 와인 양조업자, 와인 판매상, 레스토랑과 호텔 소유자들이 행사에 참여해 와인을 즐겼다. 1989년의 경매 금액은 85만 달러였는데 점점 증가하여 1997년에는 300만 달러가 모였고, 모두 자선기금으로 쓰였다.

나파밸리에는 지역 농산물 직판장이 있고 관광객이 몰려들어 호황을 누렸지만 기존의 시가지인 나파 타운 지역은 한번도 세인트헬레나와 캘리스토가(Calistoga)처럼 번창한 적이 없었다. 몬다비는 그런 나파 타운을 돕고 싶었다. "여러 가지 고상한 목적을 한 센터 안에 수용할 대담하고 창의적인 방안은 없을까?" 몬다비는 자신의 성공을 지역 사회에 환원한다는 생각으로 '와인 · 음식 · 미술 복합 문화센터'를 만들자는 아이디어를 냈다. 와인과 음식뿐만 아니라, 회화, 조각, 음악, 춤, 사진, 그래픽 디자인과 어린이 예술 교육을 위한 곳이었다. 이 센터는 모든 창의적인 활동의 중심지로서, 나파 타운의 대표적인 건축물로 들어서게 될 것이고, 동시에 나파 타운의 경제회복을 자극할 훌륭한 관광 명소가 될 것이었다.

몬다비는 이사회를 구성하고 영화감독 프란시스 코폴라 같은 나파 출신의 저명인사들로부터 지원을 약속받았다. 설립기금을 출연하고 기금 모금 운동을 벌였다.

몬다비가 이 계획을 처음 밝혔을 때 나파밸리 여기저기에서는 회의론과 저항이 만만치 않았다. 몬다비의 또 하나의 실수라는 말이 나오기 시작했다. 나파밸리에서 가장 잘난 척하는 사람의 과시욕이라고 비아냥거리는 사람들도 있었다.

그러나 세계에서 유일한 이 센터는 나파밸리와 어린이들에게 교육적으로 유익하며, 나파밸리를 전 세계 와인 양조자, 요리사, 요리 애호가와 저명 예술가들이 모이는 세계적인 명소로 만들게 될 것이라는 사실을 사람들이 깨닫기 시작했다. 몬다비는 센터를 현실화하는 데 열성을 다 바쳤다. 그리고 2001년 마침내 '미국 와인 · 음식 · 미술 센터'(The American Center for Wine, Food and the Arts)가 문을 열었다.

## 주식 상장, 그리고 회사를 넘기다

1990년대 나파밸리에 있는 200여 개의 와이너리는 대부분 최고급 와인을 만들고 있었다. 그런데 이들 와이너리들은 가족기업이나 한 기업이 소유하고 있는 것이 아니라 대부분 거대 다국적 기업이 소유하고 있었다.

몬다비 와이너리도 줄기차게 기업 공개의 압박을 받고 있었다. 1987년경 골드만삭스가 처음으로 주식상장을 제안해 왔을 때 몬다비는 거절했었다. 그러나 개인 기업으로 버티는 것도 한계가 있었다. 몬다비는 도박을 하기로 했다. 몬다비 가족이 경영권을 잃지 않고도 주식을 상장할 방법이 없을까? 다각도로 검토하는데 4~5년이 걸렸다. 몬다비는 의결권이 다른 두 가지 권리의 주식을 발행할 수 있다는 것을 알았다. 가족 주식은 주당 10개의 의결권을 갖게 하고, 일반 주식은 주당 1개의 의결권만 갖는 것이다. 가족 주식을 일정 지분 유지하면 회사 경영권을 지킬 수 있는 것이다.

1993년 6월 10일, 로버트 몬다비 와이너리 주식 370만 주가 주당 13.5달러에 나스닥에 상장되었다. 몬다비가 다음날 아침 깨어났을 때 새로 발행된 주식이 주당 8달러로 곤두박질쳤다. 일생일대의 모험을 단행했는데 무참하게 눈앞에서 실패해 버린 것이다.

그러나 최악의 사태는 아직 오지도 않았다. 몬다비는 이제 막 80세가 되었고, 회사는 소용돌이에 휘말렸다. 가족들은 몹시 화를 냈다. 이제 어떻게 해야 하나? 몬다비는 어릴 때 부모로부터 이런 말을 들은 적이 한번도 없었다. "롤러스케이트를 타지 마라. 다칠 수 있다." 또는 "채석장 옆에서 수영하지 마라. 거긴 너무 위험하다."

주가가 6.5달러로 추락했지만 몬다비는 두려움에 사로잡히지 않았다. 걱정이 되기는 했지만 모든 게 살면서 겪는 일이었다. 시간이 지나자 6.5달러까지 내렸던 주가가 상승하기 시작해 10달러대, 20달러대, 30달러대로 올라갔다.

몬다비는 독자적인 와이너리를 창업해 30년 만에 종업원 900명의 와이너리로 키웠다. 하지만 영광 뒤에는 추락이 오는 법. 몬다비에게도 예외는 아니었다. 집안의 분쟁과 생산된 와인에 대한 좋

지 않은 평가, 그리고 매출의 지속적인 감소로 위기를 맞았다. 2004년에는 구조조정을 하게 되고, 몬다비 가족들의 주식 지분율이 85퍼센트에서 40퍼센트로 떨어졌다.

2004년 11월 22일, 세계적 주류기업 컨스텔레이션 브랜즈(Constellation Brands)는 몬다비를 비롯한 대주주들에게 현금 13억 6,000만 달러를 지급하고 부채를 모두 인수하는 조건으로 로버트 몬다비 와이너리를 인수했다. 테드 홀(Ted Hall)이 새로운 최고경영자가 되었다.

몬다비는 1966년부터 2004년까지 38년 간 열정을 쏟은 대가로 특별 퇴직금(150만 달러×30개월, 보너스 5만 달러, 주식 3500주, 매년 와인 50상자)을 받고 로버트 몬다비 와이너리를 떠났다. 주식의 40퍼센트는 몬다비의 둘째아들 팀이 소유했다.

컨스텔레이션은 몬다비 와이너리 직원들과 포도 재배 등 와인 생산에 관련된 사람들을 고용 승계함으로써, 기존의 몬다비와의 연결성을 유지한다고 밝혔다. 그리고 자산뿐만 아니라 몬다비 와이너리의 이미지를 비싸게 구매한 만큼, 투자를 가속화하여 장기적으로 로버트 몬다비 와이너리를 비롯한 나파밸리의 와인의 품질을 더욱 더 높이겠다고 약속했다. 그리고 회사의 경영에서 물러난 몬다비는 로버트 몬다비 와이너리의 상징적 존재로서, 앞으로 나아갈 방향을 조언을 하게 된다고 밝혔다.

## 와인은 인생이다

2005년 몬다비와 피터 두 형제는 오랜 갈등을 끝내고 화해를 했다. 그리고 각자의 포도원에서 수확한 포도로 혼합포도주를 만들기로 하고 이탈리아어로 '한번 더'라는 뜻의 '안코라 우나 볼타'(Ancora Una Volta) 와인을 만들었다. 와인 때문에 헤어진 형제는 와인 덕분에 화해했다.

와인은 만드는 것이 아니라, 땅과 포도, 햇빛과 같은 자연에 의해 '만들어지는' 것이다. 그래서 로마의 정치가 페트로니우스(Gaius Petronius Arbiter, ?-66)는 "와인은 인생이다"라고 말했다. 와인은 마력적인 힘을 갖고 있다. 코르크를 딸 때 나는 기분 좋은 소리만으로도 가장 즐거운 순간이 시작된다. 자연의 선물인 와인을 마실 때, 그것은 살아 있는 존재의 가장 큰 기쁨이다.

한 인터뷰에서 몬다비는 "단 하루도 그 일을 하지 않고는 못 배길, 가장 사랑하는 일을 찾아라. 즐겁게 일하다 보니 성공은 저절로 따라왔다"고 했다. 2008년 5월 16일 욘트빌 자택에서 94세로 생을 마감한 그의 마지막 말은 다음과 같았다. "나에게 와인은 정열의 대상이었고, 가족이자 친구였고, 따뜻한 가슴이자 관대한 영혼이었다."

# 록펠러

*John D. Rockefeller*

98세(1839–1937)

# 기업가와 자선가,
# 두 얼굴의 인생을 살다 간
# 거인 자본가

### 100세에 골프 100타를 치고자 했던 사람

그는 60세에 처음 골프채를 잡았다. 바닷가 어느 호텔 골프장에서 클럽을 잡고 몇 번 휘둘러 본 뒤에 "이게 전부야?"라고 실망했다. 하지만 그는 죽을 때까지 거의 매일, 오전 10시 15분이면 골프 코스에 나갔고, 친구와 가족, 주치의 등 최대 12명이 함께 라운딩했다. 날씨가 추우면 스웨터와 조끼를 수행원들에게 나눠주었고, 비가 내리면 보조 캐디들을 동원해 모든 동반자에게 우산을 받쳐주었다.

볼이 빗나가자 처음엔 사진사를, 나중에는 영화 촬영 기사를 고용해 자신의 연속 스윙을 보면서 동작을 연구했다. 스윙 자세를 교정하여 골프 기량을 향상한 사람이 그가 최초였다고 해도 과언이 아니다.

기업 매수합병의 대명사였던 그는 골프장도 많이 사들였다. 그는 100세에 핸디 28, 즉 100타를 쳐 에이지슈터(age shooter, 자신의 나이와 같은 타수를 치는 사람)가 되는 목표를 세웠지만, 1937년 98세의 나이로 세상과 골프장을 떠났다. 그가 바로 석유왕 존 D. 록펠러(John D. Rockefeller, 1839-1937)이다.

## 겸손함을 달라고 기도한 청년

록펠러는 에이브러햄 링컨(Abraham Lincoln, 1809-1865)이 30세가 되던 해인 1839년 7월 8일 뉴욕에서 태어났다. 아버지는 한량 기질이 있는 농부이고, 어머니는 현명하고 신앙심이 깊었다.

"존, 칠면조를 시장에 내다 팔아라. 그러면 네 용돈은 되고도 남을 거야." 존의 첫 번째 돈벌이 사업은 그렇게 시작되었다. 근검절약을 강조하던 어머니가 아들에게 자립정신을 가르치기 시작한 것이다.

다음해 록펠러는 암컷 칠면조 몇 마리를 사다가 알을 부화시켜 더 많은 돈을 벌었다. 그렇게 3년 동안 칠면조를 길러서 모은 돈이 50달러였다. 어머니는 그 돈을 이웃집 농부에게 7퍼센트의 이자를 받고 빌려주게 했고 1년 뒤 존은 원리금 53달러 50센트를 받았다. 어린 록펠러는 큰 감동을 받았다. 이자가 3달러 50센트라니! 그가 하루 10시간씩 열흘 동안 감자를 캐야 받을 수 있는 거금이었다.

록펠러가 여섯 살 되던 어느 주일날 어머니가 말했다.

“존, 너도 이제 여섯 살이 되었으니, 오늘부터는 너 혼자서 교회에 다니도록 해라.”

그러면서 존에게 처음으로 20센트의 용돈을 쥐어주었다. 어머니는 2센트를 십일조로 따로 떼어내 헌금 봉투에 담아주면서, 앞으로 돈이 생기면 가장 먼저 하나님께 드릴 몫을 반드시 따로 떼어 놓아야 한다는 것을 가르쳤다. 어머니는 어린 아들에게 다음 세 가지를 강조했다.

첫째, 십일조를 생활화해야 한다.

둘째, 교회에 가면 맨 앞자리에 앉아 예배를 드려야 한다.

셋째, 교회의 일에 순종하고 목사님의 마음을 아프게 하지 않는다.

록펠러는 열아홉 살에 교회 집사가 되었고, 그저 예배에만 참석하는 것이 아니라 매우 열성적으로 교회 일을 거들었다. 록펠러는 어머니가 돌아가시자 뉴욕에서 가장 크고 아름다운 리버사이드 교회를 지어 바쳤다. 그것은 어머니가 가르쳐준 신앙정신을 오래도록 기리기 위해서였다. 리버사이드 교회에서 첫 예배를 보던 날 많은 사람들이 록펠러와 그의 가족을 위해 감사의 기도를 했다. 그때 록펠러는 간단한 한마디만 남겼다. “주님께 받은 것을 다시 주님께 드렸을 따름입니다.”

1855년 존 록펠러는 16세 때 클리블랜드에 있는 조그만 무역회사의 견습생이 되었다. 15개월 후 월급도 두 배 이상 오르고 정식으로 회계직원이 되었다. 매일 일기 대신 회계장부를 기록하면서 자금의 흐름과 시세의 변화를 면밀히 파악해 나갔다. 1858년 장부를 정리하던 중 록펠러는 전임자가 자신보다 월급을 네 배나 많이 받았다는 사실을 알고 사장에게 인상을 요구했지만 거절당했다. 나이가 어리고 부양가족도 없다는 이유였다.

록펠러는 회사를 그만두고 창업의 길로 나섰다. 모리스 클라크(Maurice Clark, 1827-1901)와 함께 곡물가게 클라크 앤 록펠러(Clark & Rockefeller Co.)를 설립했다. 클라크는 각자 2,000달러씩 투자하자고 제의했지만 록펠러의 수중에는 단돈 800달러뿐이었다. 록펠러는 모자라는 돈은 아버지에게 빌리기로 했다. 아버지는 선뜻 돈을 빌려주겠다고 약속했다. 그러나 그의 능력을 떠보기 위해 10퍼센트의 비싼 이자를 낼 것과 21세가 되는 1년 반 후에는 원금을 갚아야 한다는 조건을 내세웠다. 돈을 벌 자신이 있던 록펠러는 군말 없이 동의했고, 아버지는 아들과의 계약을 아주 흡족하게 생각했다.

1859년 3월, 록펠러는 부둣가의 허름한 창고에 사무실을 차렸다. 록펠러의 회사는 육류, 곡식, 어류, 석고, 대리석 등 클리블랜드에서 거래되는 거의 모든 물품을 취급했다. 회사는 첫해에 4,400달러, 다음해에는 1만 7,000달러의 흑자를 내며 급성장했고, 클리블랜드에서 가장 신용평가가 높은 회사 중 하나가 되었다. 록펠러가 사업을 확장시키기 위해 대출을 신청하면 은행에서 무조건 승인해 줄 정도였다. 록펠러는 세상을 다 얻은 듯했다. 그러나 이제 갓 스무 살이 된 이 청년은 하느님께 겸손함을 달라고 기도했

다. "내 자신을 돌아보고 조심하지 않으면 실패하게 됩니다. 항상 겸손할 수 있도록 도와주세요."

## 석유 사업을 시작하다

3년 후 매출액이 폭발적으로 늘어나 100만 달러가 되었다. 좀더 큰 사업을 생각했다. 투자금은 상대적으로 적으면서 성장 가능성은 크고 경쟁이 치열하지 않은 사업을 물색했다. 1860년대 초 그런 사업이 하나 있었다. 석유사업이었다. 당시는 자동차가 나오기 전이라 석유의 주 용도는 휘발유가 아니라 등불을 밝히는 등유(kerosene)였다. 1863년 두 사람은 화학자 새뮤얼 앤드루스(Samuel Andrews, 1836-1904)와 함께 석유 정유회사를 차렸다. 회사는 급속도로 성장했고 자본금도 더 필요했다.

록펠러는 일찍이 해외로 눈을 돌렸다. 예나 지금이나 시장은 크고 수요자는 많지만 물건이 부족한 곳이 중국이다. 당시는 조명시설이라야 고래기름이나 돼지기름을 사용한 등잔밖에 없었는데, 그을음도 심했고 오래 가지도 않았다. 록펠러는 석유등잔을 중국 사람들에게 아주 싸게 공급하는 대신 석유는 정상적인 값으로 팔았다. "등불이 밝으면 밤에 아이들이 책 읽기에 좋습니다"라는 광고는 유일한 출세가 관리가 되는 길밖에 없었던 중국 사람들에게 잘 먹혀들었다. 기계를 원가 이하로 싸게 파는 대신, 원료나 부품 또는 사용료에 이익을 붙이는 상술을 발휘한 것이다. 이런 식의 상술은 그후 IBM의 컴퓨터, GE의 발전설비에도 응용된다.

1863년, 록펠러가 처음으로 석유사업에 뛰어들었을 때의 일이다. 그때까지만 해도 석유사업에 대해서 잘 알지 못했던 록펠러는 친구의 말만 믿고 석탄광을 인수했다. 그러나 그곳은 쓸모없는 광산이었다. 아무리 캐고 또 캐도 돌덩어리밖에 없었다. 록펠러에게 위기가 닥쳤다. 신용이 좋았던 록펠러였지만 석유사업에 무리한 투자를 한 상태여서 마땅히 돈을 빌릴 곳이 없었다. 광부들은 월급이 밀리자 폭도로 돌변했고 사업을 접어야 할 위기에까지 몰렸다. 자살을 생각했던 록펠러는 황량한 폐광에 엎드려 기도했다. "하느님! 저는 하느님만 믿습니다. 그 동안 저에게 부족한 것이 있었다면 더욱 열심히 일할 수 있도록 기회를 주십시오. 아직은 제가 일을 할 때입니다."

잠시 잠이 든 것일까. 꿈을 꾸는 듯한 상태에서 마음속 깊은 곳으로부터 어떤 음성이 들렸다. "때가 되면 열매를 거두리라. 네가 있는 곳을 더 깊이 파도록 하라."

록펠러는 마음이 이끄는 대로 했고, 얼마 지나지 않아 석탄 대신 '검은 물'이 분수처럼 솟구쳤다. 석탄보다도 몇 배나 값진 석유였다. 위기를 이겨낸 록펠러는 그 자리에서 무릎을 꿇고 기도했다. "하나님, 이렇게 저에게 석유라는 값진 선물을 주신 것은 평생 그 일에 봉사하라는 말씀으로 받아들이겠습니다."

록펠러의 성공에는 하느님께 의지하는 기도의 힘이 크게 작용했다.

## 나는 내 의무를 다하고 있는가?

1864년 3월, 록펠러는 고등학교 때 여자친구 로라 스펠먼(Laura Spelman, 1839-1915)과 약혼했다. 록펠러는 스물다섯 살의 나이에 이미 클리블랜드의 유력 사업가가 되어 있었다. 로라의 부모님은 기꺼이 그들의 결혼을 승낙했다. 록펠러는 대학을 졸업하고 초등학교에서 아이들을 가르치던 로라와 교회에서 자주 만났다. 로라는 흑인 인권 문제에 대해 열성적이었다. 록펠러는 남북전쟁(1861-1865) 때 노예 두 명을 사서 풀어주기도 했다.

그해 9월 8일, 두 사람은 로라의 집에서 결혼식을 올렸다. 목사와 양가 식구들, 직원 몇 명만 참석한 간소한 결혼식이었다. 두 사람은 나이아가라 폭포와 캐나다 등지로 신혼여행을 다녀왔다.

회사에 정상 출근한 다음날 록펠러는 시카고로 출장을 떠났다. 그후 록펠러는 수없이 많은 출장을 다녔는데, 그때마다 매일같이 집에 있는 아내에게 따뜻하고 애정 어린 편지를 보냈다. 록펠러의 아내 로라는 많은 점에서 록펠러의 어머니를 닮았다. 시어머니처럼 신앙심 깊은 집안에서 자란 그녀는 자녀들에게 경건한 삶을 살라고 가르쳤다. 아이들은 기도 시간에 자신의 행동 하나하나를 반성하고 되돌아보라는 교육을 받았고, 그대로 실천하며 자랐다. “나는 옳은 행동을 하고 있는가? 나는 내 의무를 다하고 있는가?”

록펠러 2세는 어린 시절을 이렇게 회상했다. “어머니는 언제나 의무에 대해, 주님이 기뻐하시지 않는 것과 부모님을 즐겁게 해드리는 것에 대해 말씀하셨다. 어머니는 우리가 옳고 그른 것에 대한 판단할 수 있도록 가르쳐주셨고, 우리는 해서는 안 될 것은 아예 바라지도 않게 되었다."

1865년 초, 잘나가던 회사가 위기를 만났다. 동업자 클라크는 회사의 빚이 10만 달러나 되자 불만을 터뜨렸다. 마침내 두 사람은 회사를 경매에 부쳐 높은 값을 부르는 사람이 회사를 인수하기로 합의를 보았다. 회사가 경매에 부쳐진 날은 1865년 2월 2일이었다. 클라크가 먼저 500달러를 제시하면서 입찰이 시작되었다. 그러자 록펠러가 바로 1,000달러를 불렀다. 주거니받거니 하며 호가는 4만, 5만, 6만 달러로 계속 올라가 7만 달러를 넘어섰다. 경매장 안에는 팽팽한 긴장감이 감돌았다. "7만 2,000달러." 록펠러가 망설임 없이 응찰했다.

클라크는 결국 두 손을 들고 말았다. "난 그 이상의 가격은 못 부르겠네. 이 회사는 자네 것일세."

1867년 록펠러는 헨리 플래글러(Henry Morrison Flagler, 1830-1913)를 동업자로 영입하고 회사명을 록펠러 앤드류스 앤 플래글러(Rockefeller, Andrews & Flagler)로 바꾸었다. 1870년에는 또 다른 동업자 스티븐 하크니스(Stephen V. Harkness, 1818-1888)를 포함시키면서 회사명을 스탠더드오일(Standard Oil)로 바꾸고 록펠러가 사장이 되었다. 시간이 지나자 동업자들은 이런 저런 사정으로 하나 둘 차례로 물러났다.

록펠러는 소규모 석유 채굴업자들로부터 원유를 싸게 사서 정유하여 팔았다. 돈이 좀 벌리자 정유공장을 세우고 다음에는 송유관을 건설했다. 송유관은 여러 도시와 주들을 통과해야 하므로 허가 및 감독관청에는 합법적, 불법적 절차가 총동원되었다. 또 송유관 사업은 투자가 많았고 석유산업으로서는 중간업체(mid stream)에 해당하는 것이므로 소규모 석유업자들(upstream)로부터 물량을 확보해야 했다.

## 스탠더드오일 트러스트

1880년대 초 대형 유전 발견으로 석유 값이 폭락했다. 록펠러는 합병 외에 대안이 없음을 깨닫고, 1882년 1월 50여 명의 석유업자들을 소집하여 서로의 목을 조르는 경쟁을 제한하자고 제안했다. 그 결과 34개의 석유회사들이 스탠더드오일 트러스트(Standard Oil Trust)를 형성했다. 록펠러는 트러스트의 지분 28퍼센트를 차지했고, 9명의 위탁 경영인에게 운영을 맡겼다. 1882년 발족한 트러스트는 미국 정유사업의 80퍼센트, 송유관 사업의 90퍼센트를 점유한 외에도 철도, 선박, 차량 등을 이용한 운송 석유제품을 거의 독점했다.

스탠더드오일의 규칙 제1조는 "스탠더드오일의 모든 종업원은 꼭 스탠더드오일이 정한 옷깃의 셔츠를 입어야 한다"는 것이었다. 트러스트에 참여하는 회사들은 외형은 각각 독립적인 회사이지만, 실질적으로는 운영권을 수탁자(trustee)에게 넘기고 자신들은 신탁자(trust)가 되는, 일종의 독점이다. 스탠더드오일 트러스트의 책임자는 당연히 록펠러가 선정되었다.

록펠러는 송유관을 건설할 수 없거나 송유관이 들어가지 않는 지역에는 철도를 이용했다. 석유 수송 물량이 많았고 철도회사들도 많았으므로 운임을 크게 할인받았다. 록펠러는 군소 석유업자들의 가격인하 경쟁을 멈추는데 성공했고, 본사가 과다재고와 공급량을 조절하는 잘 통제된 중앙집중형 조직을 만들어 운영했다. 그런 시스템은 현대적 관리개념의 시초였다. 그것은 세상의 모든 사업방식을 혁신적으로 바꾸어 놓았다.

그러나 다른 한편으로 비난도 쏟아졌다. 역사가 앨버트 카(Albert Carr)는 "미국에서는 스탠더드오일의 승인 없이는 어느 누구도 석유를 판매할 수 없다"고 꼬집었다. 1888년 뉴욕에서 발행되던 잡지 〈월드〉는 "록펠러는 트러스트의 아버지이며 기업독점의 왕이자 석유산업의 황제"라고 비난했다.

스탠더드오일 트러스트에 참여하지 않은 소규모 석유회사들은 반독점 소송을 제기했고, 록펠러는 소송 내내 "자본이 힘을 발휘하기 위해서는 자본의 생존 형태를 허용해야 한다"고 주장했다. 하지만 거대 트러스트의 독점적 권력은 곧 격렬한 항의를 받았다.

록펠러는 50세가 되던 1889년 은퇴했다. 그 때문에 스탠더드오일의 경영권은 9명으로 구성된 최고경영위원회에 넘어갔고, 그들은 자문부서를 활용하여 회사를 운영했다.

1890년 셔먼의 반 트러스트 법(Sherman Anti Trust Act)이 통과되었다. 스탠더드오일은 트러스트의 해체를 피하기 위해 내부적으로 개혁했는데, 1899년 지주회사(持株會社, holding company)를 설립하여 지배권을 유지하려 했다.

그러나 법원은 계속 스탠더드오일을 집요하게 물고 늘어졌고, 1911년 대법원에 의해 역사적인 판결이 내려졌다. "트러스트가 상업의 발전과 조직에 대해서는 아주 천재적인 발명이었지만… 곧 다른 사람들과의 경쟁을 제한하려는 의도를 갖기 시작했다"라고 판결한 것이다.

1887년부터 시작해 24년간 길고도 지루한 소송 끝에 1911년 스탠더드오일 트러스트는 공식적으로 해체되었다. 스탠더드오일은 각 주(州)를 거점으로 해체되도록 조치가 내려졌고, 해체된 회사들 중 가장 큰 스탠더드오일 오브 뉴저지(Standard Oil of New Jersey)는 석유산업의 선두주자가 되었다.

전화위복이랄까. 스탠더드오일 트러스트의 해체는 주주들에게는 오히려 축복이었다. 새로운 경영진들로 하여금 공격적인 마케팅 활동을 펼치게 했고 기술발전도 모색케 했다. 어느 최고경영자는 "젊은 친구들에게는 그들이 그토록 원하던 기회가 주어졌다"고 회고했다. 이익은 곧 늘어났다. 트러스트가 해체된 지 1년 만에 분리된 회사들의 주가가 두 배나 뛰었다. 하지만 석유산업을 창업했던 록펠러 가문

■ ■ ■

**반트러스트법**(Anti Trust Law)
미국의 독점금지법 · 공정거래유지법의 총칭. 1890년의 셔먼법 및 1914년의 클레이턴법이 대표적이다. 미국 자본주의가 발전하는 가운데, 1870년부터 과당경쟁을 피하기 위하여 카르텔을 통한 가격협정, 생산제한 등을 실시하고, 1880년에는 스탠더드오일을 비롯한 트러스트화가 전개되고, 다시 지주회사에 의한 기업집중이 추진되었다. 이들 거대기업의 출현은 독점에 의한 폐해를 가져와 1880년대 말, 중서부를 비롯한 여러 주에서 반트러스트법이 제정되었다. 그러나 반트러스트법들이 주(州) 상호간에는 무력했기 때문에, 연방법인 셔먼법이 만들어졌다. 철도지주회사와 석유트러스트가 이 법으로 인하여 해산되었고, 다시 보강입법이라 해서 클레이턴법이 제정되었다.

은 더 이상 회사를 지배하지 못했다.

1913년 뉴저지 주 법무관은 공식적으로 다음과 같이 보고했다. "록펠러 가문은 완전히 은퇴했으며, 단지 정기적으로 배당금을 받아가고 주주총회에서 투표권을 행사할 뿐이다."

스탠더드오일의 탄탄한 조직구조는 그대로였고, 록펠러는 다음과 같이 예언했다. "합병의 날들은 계속된다. 개인주의는 갔다. 다시는 돌아오지 못한다."

록펠러의 예측대로 뉴저지 스탠더드오일은 엑슨(Exxon)으로, 뉴욕 스탠더드오일은 모빌(Mobil)로 변신하여 석유산업에서 각각 1, 2위를 달렸다. 1999년 이 두 회사는 다시 합병하여 엑슨모빌(Exxon-Mobil)이 되어 지금 세계 1위 기업으로 군림하고 있다.

## 아내의 주검 앞에서 처음 운 세계 최고의 갑부

1913년 제1차 세계대전 직전 록펠러의 재산은 9억 달러로 세계 최고의 부자였다. 그것은 미국 GDP의 44분의 1이었다. 동갑나기 록펠러 부부는 일흔다섯 살이 되던 1914년, 따뜻한 휴양지 플로리다에 새로운 거처를 마련했다. 플로리다 오몬드(Ormond)에 지은 저택은 부지 가 430만평에 6개의 실내, 실외 수영장과 골프 코스, 승마장이 있었다.

록펠러 부부는 그곳에서 쉰 번째 결혼기념일을 맞이했고, 이듬해인 1915년 3월 12일, 로라는 일흔여섯 살의 나이로 세상을 떠

록펠러와 아내 로라

났다.

록펠러는 아내의 죽음에 몹시 상심했다. 록펠러의 자식들은 아버지가 우는 모습을 그때 처음으로 보았다.

록펠러가 사업을 일궈냈듯이 그의 아내는 가정을 잘 일궜다. 훗날 어떤 기자가 록펠러에게 이렇게 말했다. "회장님은 두 가지 탁월한 업적을 남기신 것 같습니다. 그 하나는 '록펠러 의학연구소'이고 다른 하나는 '록펠러 2세'인 것 같습니다." 그러자 록펠러는 웃으면서 대답했다. "앞의 것은 몰라도 뒤에 것은 내가 아니라 그 녀석 엄마의 업적이라고 해야겠죠."

만년의 록펠러는 이렇게 말했다.

"목표를 높은 곳에 두어야 합니다. 똑같은 노력이지만 그것은 목표를 크게 가진 사람에게는 큰 곳을 향한 노력이 되고, 먹고 사는 일에 급급한 목표를 세운 사람에게는 작은 노력이 되고 맙니다. 자신에게 잠재되어 있는 무한한 능력을 꺼내 쓰기 위해서 얼마나 높은 목표를 갖느냐 하는 것이 중요합니다. 스스로 못할 것이라고 생각하는 것은 스스로를 속이는 가장 큰 거짓말임을 명심하시기 바랍니다."

## 부자가 항상 행복한 것은 아니다

큰 부자가 항상 행복하리라고 믿는 것은 잘못된 생각이다. 서머셋 모옴(William Somerset Maugham, 1874-1965)은 자서전에서 이렇게 썼다. "18세 때 나는 너무도 간절히 부자가 되고 싶었고, 성공하고 싶었고, 유명해지고 싶었다. 이제 그 세 가지를 성취했다. 그러나 더 행복해진 것 같지는 않다."

이 말은 록펠러에게도 해당된다. 1872년 33세의 록펠러는 최초로 한해 수익이 100만 달러가 되는 부자가 되었고, 43세 때는 미국에서 매출이 가장 큰 회사를 소유했고, 53세에는 억만장자가 되어 세계 최대의 갑부가 되었다.

그러나 록펠러는 53세까지는 행복한 사람이 아니었다. 그에게는 알로페시아 아리에타(Alopecia areata, AA)라는 탈모증 비슷한 병이 있었다. 머리카락과 눈썹이 빠지고 몸이 초췌하게 말라가는 병이었다. 어느 날 그는 의사로부터 충격적인 소식을 듣는다.

"이런 상태로 1년을 견딜 수 있을까 싶습니다."

그날 밤 그는 잠을 이루지 못하고 괴로워했다. 당시 사업은 너무나 잘돼서 하루에 100만 달러를 벌었지만, 그는 먹지도 못하고 자지도 못하는 고통스런 나날을 보내야 했다. 어느 순간 "이 많은 재산이 무슨 의미가 있는가?"하는 허무한 생각이 들었다. 밤새 괴로워하다가 그는 침대에서 벌떡 일어나서 "돈은 아무것도 아니다! 하나님은 모든 것을 아신다"라고 소리치면서 침대 곁에 무릎을 꿇었다.

마태복음 6장 33절이 떠올랐다. '너희는 먼저 그의 나라와 그의 의를 구하라.' 하느님의 모든 축복의 비결이 이 짤막한 말씀에 있었다. 기도와 함께 새벽을 맞이한 록펠러의 인생은 그때부터 달라졌다. 건성으로 교회에 나갔던 모습은 사라지고 성실하게 교회에 출석하며 진정한 크리스천이 되었다. 그리고 록펠러재단을 만들어 가난한 사람들을 돕는 의료사업에 전재산을 쏟아부었다. 이러한 결단을 내린 직후 이상한 변화가 찾아왔다. 잘 먹기 시작했고 잠도 잘 자게 된 것이다. 그가 55세를 넘기기 어려울 것이라고 판단했던 의사들을 비웃기라도 하듯 록펠러는 98세까지 살았다.

록펠러는 노년에 이르러 자선사업에 전념했다. 그는 자선사업도 다른 사업만큼이나 엄청난 노력이 필요하다는 사실을 깨달았다. 정말로 도움이 필요한 곳을 찾아내는 것도 돈 버는 일만큼 어려웠다. 그는 치밀하게 자선사업을 벌임으로써 "역시 록펠러답다"는 말을 들었다.

95세의 록펠러

"나는 돈 버는 능력을 신으로부터 부여받은 재능이라고 믿고 있다. 이런 선물을 받은 나로서는 돈을 벌고 다시 불려서 얻은 돈을 양심이 시키는 대로 사람들에게 도움이 되도록 쓰는 것이 나의 의무라고 믿는다. 나는 금고를 맡은 청지기다. 따라서 이 돈을 하나님의 뜻대로 사용하는 권리밖에 없다."

그후 시카고 대학을 설립한 록펠러는 대학 발전에 큰 관심을 가지고 있었지만 학교 운영에는 전혀 간섭하지 않았다. 록펠러가 처음으로 시카고 대학을 방문한 것은 15주년 개교기념일 때였다.

록펠러는 아내를 기념하기 위해 '로라 스펠먼 록펠러 재단'을 설립했고, 시카고 대학교 안에 교회를 세웠다. 록펠러는 교회 봉헌식에서 이렇게 말했다. "평생 나에게 가장 큰 행복을 안겨준 것, 그리고 내가 이룬 가장 큰 업적이라면 로라를 아내로 얻은 것입니다." 록펠러는 어머니와 아내를 기념하기 위해 4928개의 교회를 지어 사회에 헌납했다.

1948년 12월, 록펠러 재단은 한국에도 약 4만 5,000달러를 후원했다. 해방 직후의 혼란기여서 모든 것이 부족한 시절이라 사전을 만들기 쉽지 않았는데 이 돈으로 국민들에게 꼭 필요한 최초의 국어사전을 만들었다.

## 절제된 삶

록펠러는 억만장자가 되었지만 한푼도 함부로 쓰지 않는 근검 절약 정신을 평생 실천하며 살았다. 사업뿐만 아니라 가족에게도 엄격했던 그는 절제된 삶이 옳은 길이라고 굳게 믿는 사람이었다.

록펠러는 손자들에게 용돈을 주면서 "돈을 낭비하지 말라"는 말을 잊지 않았다. "돈을 쓸 때는 아주 아껴 써야 한다. 커서는 가난한 사람들을 도와줄 능력을 갖추어야 한다."

1937년 5월 22일, 98세 생일을 며칠 앞두고 록펠러는 기도를 했다.

"하느님, 이제 저는 제 마음에 있는 사람들을 다시 만날 것입니다. 피하지 않겠습니다. 그 동안 저의 약한 부분을 감싸주시고 건강을 유지할 수 있도록 살펴주시고. 돌봐주신 것에 진심으로 감사드립니다."

록펠러는 기도를 마치고 자리에서 일어났다. 그리고 아무도 없는 방 안에서 벽을 바라보며 중얼거렸다.

"여보, 나는 이제 다시 당신을 만나러 이곳을 떠나려 하고 있소. 그 동안 당신과 너무 오래 떨어져 있던 것 같구려."

그리고 조용히 숨을 거두었다.

# 마쓰시타 고노스케

松下幸之助

95세(1894–1989)

"겸허한 마음을 갖고
세계에서 배워야 한다"

## 일본식 경영의 창시자

일본에서 가장 존경받는 경영자를 꼽으라면 고인으로는 마쓰시타 그룹 창업자 마쓰시타 고노스케(松下幸之助, 1894-1989)를, 생존하는 경영자로는 교세라 그룹의 이나모리 가즈오(稻盛和夫, 1932- )를 꼽을 수 있다. 95세를 살다간 마쓰시타는 일본에서 '경영의 신'이라는 칭호가 붙어 있다. 그런 명칭이 너무 주관적이라고 한다면 마쓰시타는 적어도 '일본식 경영의 창시자'라는 수식어에는 별 다른 이의가 없는 듯하다.

일본식 경영과 미국식 경영을 간단히 비교하면, 일본식 경영은 '종신고용', '연공서열 인사' '전국적 조직이 없는 개별 기업별 노동조합' 세 가지로 집약된다. 반면 미국식 경영은 '단기고용' '능력별 인사' '업종별 전국적 노동조합'으로 요약된다.

**테일러 시스템(Taylor system)**
1895년 미국 발명가이며 기사인 프레더릭 테일러가 공장합리화를 목적으로 발표하였던 생산에서의 과학적 관리법. 과업관리(課業管理 ; task management)라고도 한다. 종전 관리자의 경험이나 육감에 의한 생산관리를 배제, ①시간연구 · 동작연구를 통한 작업시간의 분석적 연구 ②과학적 관리에 의한 기능적 조직을 주장하는 내용이다. 이 목표를 달성하기 위한 원칙으로 ① 명확한 하루의 과업을 정하고 ② 표준화된 작업조건을 제시하며 ③ 과업완성에 대한 보수를 지급하고 ④ 과업실패에 대한 손실을 임금에서 줄 것을 제시하였다

1980년대 미국 경제가 침체에 빠지고 전 세계에 "일본을 배우자"라는 분위기가 팽배할 때 마쓰시타는 "미국 회사들은 **테일러 시스템**에 근거를 두고 있다. 경영진은 테일러식 고정관념에 의거해 생각하고, 작업자는 경영진의 계획과 지시를 따라 일만 한다"고 지적했다.

## 성공의 비결은 전화위복

마쓰시타는 자신이 기업가로 성공한 비결은 하느님이 주신 세 가지 은혜 덕분이라고 밝혔다. 첫째, 가난과 고생으로 인생의 쓴맛을 일찍 경험한 덕분에 겸손을 배운 것. 둘째, 몸이 매우 약한 덕분에 운동을 규칙적으로 하게 된 것. 셋째, 초등학교도 졸업 못한 덕분에 세상의 모든 사람들에게 배운 것, 등이다.

역설적이게도 그는 어릴 때 정규교육을 받지 못했기 때문에 배우는 것에 익숙했다. 마쓰시타 전기산업이 해외로 진출할 때도 그는 "세계적인 경제활동을 위해서는 우선 겸허한 마음을 갖고 세계에서 배워야 한다"고 강조했다.

마쓰시타가 태어났을 때 그의 아버지는 관청에 다녀 비교적 집안형편이 좋았다. 그러나 평화로운 나날은 마쓰시타가 6세 때에 끝났다. 와카야마 현에 곡물거래소가 생기자 아버지는 곡물 투자

에 손을 댔다. 하지만 대실패였다. 빚을 갚기 위해 아버지는 조상 대대로 물려받은 토지와 집을 내놓았고, 나막신 가게를 열었다. 중학교에 다니던 형은 학교를 중퇴하고 가게 일을 도왔으나 나막신 장사 역시 잘 안 되어 아버지는 새 직업을 찾으러 다녀야 했다. 그 과정에서 형 둘과 큰누나가 잇따라 병으로 사망했다. 마쓰시타의 어릴 적 상황을 보면 훗날의 대단한 성공과 업적은 상상도 할 수 없는 것이었다.

1904년 11월, 초등학교 4학년 열 살의 마쓰시타는 오사카의 난로가게에 사환으로 취직했다. 현대 경영학적 표현으로 그의 직무에는 주인의 어린아이를 돌보는 일도 포함되었다. 당시 일본은 러일전쟁 중이어서 일자리가 없었다. 따라서 가게에서 먹고자는 고용살이도 마쓰시타의 선택이 아니라 그나마 아버지가 구해 주었기 때문에 가능했다. 마쓰시타는 일을 하고 봉급을 받는 것에 보람을 느끼고는 있었으나 밤이 되면 부모의 얼굴을 떠올리면서 외로움의 눈물을 흘렸다. 얼마 후 마쓰시타는 난로가게를 그만두고 자전거가게로 옮겼다. 여기서도 걸레질이나 자전거 수리 견습 등을 하며 일하는 즐거움을 배웠다.

어느 날, 마쓰시타는 여느 때와 같이 자전거가게에 온 손님의 부탁으로 담배를 사러 갔다. 그때 하나의 생각이 떠올랐다. "손님들이 부탁할 때마다 사러 가는 것은 귀찮다. 담배를 한 상자 사놓으면 시간도 절약하고 돈도 벌 수 있을 것이다"라고 생각했다. 게다가 담배 20갑을 사면 한 갑이 덤으로 붙는다. 이렇게 하면 담배를 부탁하는 손님에게 바로 건네줄 수 있어 손님이 좋아하고, 물론 자신도 5퍼센트의 이익을 챙길 수가 있었다. 자전거가게의 종업원 생활은 17세 때까지 6년 간 계속되었다.

1910년 마쓰시타는 전기산업이 장차 유망하다고 생각하고 자전거가게를 떠나 전구제작 회사인 오사카전등회사로 옮겼다. 우선 실내 배선공사 조수가 되어 착실히 기초를 배웠다. 엄격한 수습기간인 이 시기에 전기공사 기술자로서의 마쓰시타는 하루가 다르게 솜씨가 좋아져 주위로부터 실력을 인정받았다.

## 창업과 위기

마쓰시타는 22세가 되던 1916년 중매로 결혼하여 가정을 꾸몄다. 2년 후, 쌍소켓을 제조하는 마쓰시타 전기기구제작소를 창업했다. 창업 때 그의 수중에 있는 돈은 퇴직금 33엔과 적금 42엔뿐이었다. 나머지는 친구에게서 빌려 자본금 100엔으로 소켓 생산에 착수했다.

1923년 자전거용 건전지 램프를 개발한 이래 전기다리미, 라디오 등을 개발했으며 점차 사업을 확장했다. 1927년 **쇼와(昭和) 금융공황**으로 정부는 경제긴축 정책을 폈고, 이어 설상가상으로 1929년 미국의 대공황의 여파로 수많은 일본의 기업들이 줄도산했다. 마쓰시타전기의 계열사들도 혹독한 시련을 겪었다. 매출이 곤두박칠치고 창고에는 재고가 쌓여갔다. 마쓰시타는 과로가 겹쳐 쓰러졌고, 종업원 감원도 피할 수 없는 지경에 이르렀다. 결단의 순간이 왔다.

사장이라곤 하지만 갓 35세의 젊은 마쓰시타는 직원들 앞에서 약속했다. "근무를 반나절로 줄입니다. 매주 이틀은 휴무입니다. 생산도 반으로 감축하겠습니다. 그러나 월급은 전액 지급하겠습니다." 감격한 종업원들은 가족까지 동원해 판매에 나섰다. 휴일도 잊었다. 두 달 만에 재고가 소진되고 공장은 정상으로 돌아섰다.

**쇼와(昭和) 금융공황**
1923년의 간토(關東)대지진이 일어나자, 일본은행은 피해를 입은 많은 기업들의 부도를 막기 위해 긴급 구제 금융을 제공했다. 피해지역의 기업이 발행한 특별어음(震災어음)을 재할인해 주기로 결정한 것이다. 그러나 지진과 관계없는 상당수의 기업들이 이를 새로운 자금원으로 활용하는 폐해를 낳았다. 그 결과 지진 발생 3년이 지난 1926년 8월까지 2억엔 이상의 특별어음이 부실화되었다. 예금인출 사태가 이어졌고, 은행의 10퍼센트가 도산하는 금융공황으로 이어졌다. 그후 일본에서 관치금융이 정착되는 계기가 되었다.

## 기업의 사명[misson]은 무엇인가?

사업을 계속 확장시켜나가던 마쓰시타의 심중에 변화가 일어나고 있었다. "회사는 다만 물건을 대량생산만 하는 것이 아니라 그에 따른 사명을 가져야 한다"라고 생각하기 시작한 점이다. 피터 드러커가 말하는 기업의 사명(mission of business)이 탄생한 것이다.

1932년 5월 5일, 마쓰시타는 168명의 사원들 앞에서 마쓰시타 전기의 사명을 발표했다. "물건을 남아돌게 공급함으로써 사람들의 빈곤을 없앤다." 당시는 빈곤의 시대였기에 수돗물처럼 꼭지만 틀면 누구도 물을 먹을 수 있다는 '수도(水道)철학'은 그렇게 탄생되었다.

“사람들이 안심하고 마실 수 있도록 정수한 수돗물은 부가가치를 붙인 것으로 물론 가격이 있다. 가격이 있는 것을 훔치면 본래 도둑이지만, 누군가가 길가의 수도꼭지를 틀고 물을 마셔도 책망을 듣지 않는다. 그것은 물이 싸고 풍부하기 때문이다. 생산자는 생활에 필요한 물자를 수돗물처럼 싸게 무제한 공급함으로써 세상을 풍요롭게 하는 것이 기업의 사명이다.”

넘치는 물처럼 제품을 소비자들에게 많이 공급하겠다는 신념을 표현한 것이다. 이 철학을 발표한 날을 명지원년(命知元年), 즉 처음으로 사명을 알게 된 해라고 하여 마쓰시타는 회사의 창업기념일로 삼았다.

기업의 사명이 정해지자, 마쓰시타는 거침없이 사업을 확장해갔다. 1933년 오사카에 본사와 라디오 공장, 건전지 공장을 설립했고, 1934년에는 모터사업에도 진출했다. 주위에서는 반대의견도 많았으나 마쓰시타는 장래성을 확신하고 밀고 나갔다. 1935년에는 소유 구조를 바꾸고 회사명을 마쓰시타(松下) 전기산업 주식회사로 개명했다.

제2차 세계대전 중에도 마쓰시타는 군수산업으로 사업을 넓혔다. 조선(造船)과 항공기 제조까지 했다. 56척의 배를 건조하고 3대의 비행기를 띄웠지만 곧 일본의 패전을 맞았다. 패전과 함께 사업도 난관에 부닥쳤다.

1945년 패전 직후 마쓰시타는 점령군에게 모든 자산을 몰수당해 옴쭉도 못하는 처지가 되었다. 게다가 군수산업에 가담했다는 죄목으로 공직추방 A급 대상에 올라 사장자리에서 물러나는 것도 시간문제였다. 이러한 위기에서 그를 극적으로 살려낸 것은 뜻밖에도 노동조합의 힘이었다. 그때까지 임금인상 문제 등으로 사사건건 대립하던 노조가 마쓰시타 사장이 추방 대상자로 결정되자, 정부와 GHQ(연합군 사령부)에 구명운동을 벌인 것이다. 노조의 구명운동으로 마쓰시타를 비롯한 중역 전원이 추방 대상자에서 제외되었다. 군수사업은 곧 민수사업으로 전환되었다.

패전 여파로 회사부채 증가와 인원정리 등에 따라 경영악화를 피할 수 없었으나 사업 제한이 풀린 후 마쓰시타는 재건사업에 온 힘을 쏟았다. 1952년에는 네덜란드의 필립스사와 제휴했고, 1956년에는 경영 5개년 계획을 발표했다. 1955년을 시점으로 220억 엔의 매출을 1960년에는 800억 엔으로 4배로 대폭 늘리자는 내용이었다.

마쓰시타 고노스케는 이 계획은 꼭 실현될 수 있다고 강조하며 다음과 같이 말했다. "이것은 일반 소비자의 요구를 숫자로 표현한 것에 불과합니다. 이른바 사회에 대한 의무이행이며 우리가 게으름만 피우지 않는다면 실현되리라고 믿습니다. 바꿔 말하면 우리들과 소비자는 보이지 않는 계약, 소리 없는 계약을 맺고 있는 것이며, 그들의 요구를 겸허하게 듣고 그 의무를 달성하기 위해 평소부터 만반의 준비를 해두는 것은 산업인에게 부과된 큰 의무입니다."

## 비즈니스는 마음의 게임

마쓰시타 고노스케는 인간적으로 무엇 하나 내세울 것이 없는, 지극히 평범한 사람이었다. 그 평범한 사람이 세계 최고 경영 리더의 반열에 오른 비결은 경영과 리더십의 본질을 제대로 알고 실천했기 때문이었다. 마쓰시타는 인재(人材)의 중요성을 일찍 간파했다. 경영자들에게 늘 "우리 회사는 제품의 품질관리는 열심히 하고 있지만 종업원의 인사관리도 함께 잘해야 한다"고 강조했다.

그는 기업이윤의 원천은 인간에게 있으므로 비즈니스는 마음의 게임이며, 사람들의 잠재능력을 극대화하는 것, 즉 모든 종업원 능력을 마지막 1퍼센트까지 완전히 발휘할 수 있도록 하는 것이야말로 경영의 핵심이라 생각했다. "기업이란 평범한 사람들을 모아 비범한 목적을 달성하는 곳이다"라는 피터 드러커의 언급과 일맥상통하는 말이다.

1946년 늦은 봄, 출근을 위해 회사버스를 기다리던 마쓰시타는 늦게 도착한 버스 때문에 지각을 하고 말았다. 사고가 아닌 운전사의 부주의였다. 사장은 그 운전사는 물론 그의 상사들 중 조금이라도 책임이 있는 8명에게 감봉 처분을 내렸다. 그리고 가장 책임이 무거운 자신은 한 달치 월급을 회사에 반납했다. 마쓰시타가 일본에서 최고의 존경받는 기업인으로 남을 수 있었던 것은 이렇듯 신상필벌(信賞必罰)을 솔선수범했기 때문이었다.

마쓰시타는 천리교 본부를 견학할 기회를 가졌다. 그곳에서 무보수로 열심히 일하는 신자들의 모습에 그는 충격을 받았다. “회사에서는 급료를 지불하고 있는데도 능률이 오르지 않거나 불평불만을 일삼는 사람도 있다. 그에 비해 여기서는 무급인데도 모두가 즐겁게 일하고 있다. 이러한 차이점은 도대체 어디에 원인이 있을까?”

그는 깊이 생각한 끝에 “종교에는 마음의 평안을 구하고 인생을 행복하게 한다는 숭고한 사명이 있다. 그러나 사업에도 생활에 필요한 물자를 생산한다는 중요한 사명이 있다. 결국 우리들은 자기들이 하는 일의 진정한 의미를 깨닫지 않고 해온 것이다” 라는 결론을 이끌어냈다.

1946년 마쓰시타는 자신의 사상과 철학을 완성하고 대외적으로 발표하는 장소로, “번영을 통해서 평화와 행복을 달성하자”(Peace and Happiness through Prosperity)는 슬로건을 내걸고 PHP연구소를 만들었다. 전후(戰後) 사회질서가 무너지고, 인심도 사회도 극도로 혼란해졌을 때 “자연의 이치에 맞는 올바른 길”을 따름으로써 사회의 번영과 평화와 행복을 실현시키기 위한 활동의 일환이었다. 그리고 1947년에 창간한 월간지 〈PHP〉를 통해 마쓰시타의 사상과 철학을 널리 알리고 보급했다.

## 인재의 숲을 만들다

마쓰시타가 건강할 때 매일같이 다녔다는 PHP 연구소에 40년 동안이나 근무하여, '최후의 수제자'라고 할 수 있는 에구치 가쓰히코는 이렇게 말했다. "마쓰시타의 인재 경영법에는 네 가지 포인트가 있습니다. 첫째, 부하의 말을 들어주는 것, 둘째 방침을 명확하게 해줄 것, 셋째 권한을 대폭 위임할 것, 넷째, 상대방에게 감동을 줄 것 등입니다."

마쓰시타에게 상의할 일이 있어 가게 되면 대부분 듣는 대답은 이러했다.

"자네 같으면 어떻게 할 것인지, 다시 한번 잘 생각해 보게."

사원을 나무랄 때는 오히려 격려의 말을 했다.

"자네같이 능력있는 사람이 그럴 수가…."

부하를 꾸짖은 뒤 돌아갈 때 격려의 말을 했다.

"좀 힘들고 어렵겠지만 잘해 봐."

며칠 후 전화를 걸어서 다시 격려했다.

"어때, 잘하고 있나?"

마쓰시타는 사원들에게 "고객이, 마쓰시타전기는 무엇을 만드는 회사입니까? 라고 물으면, 마쓰시타전기는 인간을 만드는 회사입니다만, 전기제품도 만듭니다"라고 말하도록 가르쳤다. 그리고 다음과 같은 질문을 끊임없이 하도록 독려했다. "이 회사는 무엇을 위해서 존재하고 있는가?" "이 회사를 어떠한 방향으로 끌고 가며 어떠한 모습으로 해야 하나?"

이 말은 피터 드러커가 《경영의 실제》(1956)에서 인용한 유명한 질문 "우리 회사가 하는 사업은 무엇인가?"라는 것과 맥락을 같이 한다.

마쓰시타는 장기적인 비전을 갖고 있었다. "(계열사)사장들은 10년 앞을 보고 경영을 하시오. 나는 100년, 200년 앞을 내다보는 일을 하겠소."

1973년 마쓰시타는 79세의 나이로 경영 일선에서 물러났다. 거목(巨木)이라도 한 그루의 나무로는 한계가 있다. 인재의 숲이 필요하다. 일본의 정치와 경제분야 차세대 리더양성을 위해 1980년 86세 때 사재 100억 엔을 출연하여 마쓰시타 정경숙(松下政經塾)을 만들었다. 그는 일본의 200년을 내다보고 인재의 숲을 만들어 놓았다. 마쓰시타 정경숙 졸업생들은 일본의 정 · 관계와 재계에서 일본을 이끄는 리더 노릇을 하고 있다.

마쓰시타는 1989년 4월 27일, 95세로 생을 마감했다. 회사장으로 거행된 장례식에 미국 대통령 조지 부시로부터 조전(弔電)이 왔다. "마쓰시타는 성공한 사람이 완수해야 할 더욱 큰 사명과 책임을 확고히 인식하고 있었습니다. 고인을 명복을 빕니다."

당시는 미일간의 경제마찰이 심각한 시기였던 만큼 이례적인 일이었다. 마쓰시타의 '생활의 개선과 향상을 도모하고 세계문화 발전에 기여한다' 라는 높은 차원의 기업이념을 높이 평가한 것이다.

1989년 마쓰시타는 나쇼날(National)과 파나소닉(Panasonic) 브랜드로 세계시장을 주름잡는 종업원 13만 명의 세계 20위 다국적 기업으로 성장했다.

마쓰시타 전기그룹은 2008년 10월 회사명을 '파나소닉'으로 변경했다. 1918년 창업 이래 계속 사용한 창업자 마쓰시타의 성을 회사 이름에서 뺀 것은 일본 기업을 넘어 글로벌 기업으로 향하는 첫걸음이란 의미이다. 백색가전에 붙여왔던 '나쇼날' 브랜드도 파나소닉으로 통합되었다.

마쓰시타 고노스케는 일본에서 '1000년간 가장 위대한 경제인'으로 추앙받고 있다. 그는 하늘에서 이런 말을 했을 것이다. "하여간 열심히 했구나, 나 자신이 한 일이지만 스스로도 잘했다."

# 피터 드러커

*Peter F. Drucker*

96세(1909–2005)

"사람들로 하여금
목적을 달성하도록 도와준 사람으로
기억되기 바란다."

## 선견력과 통찰력

피터 드러커가 제시한 이론들은 세월이 흐른 뒤 검증되었다. 드러커는 자신이 비전있는 사람 혹은 선각자로 분류되는 것을 거부했다. 하지만 그는, 이미 일어난 일들의 결과를 예상하는 능력 덕분에, 미래의 모습을 놀라울 정도로 정확하게 묘사했다. 다음의 몇 가지만 봐도 알 수 있다.

1927년, 기자 시절 드러커는 중유럽 경제사회 주간지 편집회의에 참석했을 때, "가장 두려워하는 것이 무엇인가?"라는 질문을 받고 이렇게 답변했다. "히틀러가 권력을 잡을까봐 두렵다." 당시 히틀러는 선거에 참패하여 의기소침해 있을 때여서 그 말을 들은 사람들은 코웃음쳤다. 피터 드러커는 히틀러가 1925-1927년 사이에 2권으로 출간한 《나의 투쟁》을 독파하고 나치의 본질적 위험성을 이미 간파하고 있었다. 이 책은 초국수주의자, 반유대주의자, 반민주주의자, 반마르크스주의자, 군부 등 독일 내 불만세력들의 열렬한 호응을 받았다.

1947년, 드러커는 "경영은 곧 리더십이다"라고 썼다. 그후 지금까지 경영학 관련 분야에서 리더십보다도 더 큰 관심을 끈 주제는 없었다. 프랜시스 헤셀바인(Francis Hesselbein)은 '리더 투 리더' 협회 이사회 의장으로서 자주 연설을 하는데, 그는 이렇게 말했다. "나는 연설을 할 때마다 항상 드러커의 명언을 인용하곤 하는데, 그것은 내 연설에서 가장 중요한 요점이 되곤 했습니다. 내가 말을 마치고 나면 사람들이 기억하는 것은 연설자인 내가 아니라 드러커의 명언이었어요."

1954년, 드러커는 한 출판사 사장에게 "경영을 하려면 전략이 필요하다"라고 말했다. 이에 대해 그 출판사 사장은 '전략'은 전쟁 용어이지, 경영용어가 아니므로 그런 말을 쓰면 독자들이 거부감을 느낄 것이라고 대꾸했다. 그러나 그후 1975년까지, 최고경영자들이 발표한 논문과 저술 대부분의 주제가 '경영전략'에 관한 것이었다.

1985년, 드러커는 시티그룹의 회장 월터 리스턴(Walter Wriston)에게 베를린 장벽이 무너질 것이라고 말했다. 리스턴은 만약 드러커가 아니라 다른 사람의 말이었다면 그 예언을 무시했을 것이라고 증언했다. 1989년 베를린 장벽이 무너지자 드러커는 웃으면서 말했다. "그렇게 빨리 무너질 줄은 나도 몰랐지."

1986년, 한 좌담회에서 드러커는 소련이 붕괴될 것이라고 말했다. 헨리 키신저(Henry Kissinger, 1923- )는 "이번에는 드러커 교수님께서 틀렸어요"라고 응대했다. 1991년 고르바초프(Mikhail Gorbachev, 1931- )가 소련의 해체를 선언하는 연설을 하자, 드러커는 한 번 더 선견력 있는 경고를 했다. "이제 우리는 러시아의 자원과 경제에 대해 관심을 기울여야만 할 것이다."

1990년, 대부분의 기업들이 베를린 장벽의 붕괴가 의미하는 바를 몰라 여전히 혼란을 겪고 있을 무렵, 드러커는 "초국적 세계에서도 기업이 생존하기 위해서는 기업들이 중심이 된 지역사회는 결정적으로 중요할 것"이라고 말했다.

1992년, 드러커는 이렇게 썼다. "'서구 역사' 혹은 '서구 문명'이라는 것은 더 이상 없다. 오직 세계 역사와 세계 문명뿐이다."

1999년, 드러커는 인터넷 붐에 대해 "중요한 것은 (인터넷을 이용한) 정보 접근이 아니다. 중요한 것은 조직, 기업, 그리고 모든 부문이 그 결과로 어떻게 변할 것인가 하는 것이다."

그렇다면 피터 드러커는 어떻게 동시대의 획기적인 사건에 대해 다른 사람들은 보지 못한 것을 다르게 해석하고, 또 그에 따라 행동할 수 있었을까?

## 세기 전환기의 빈(Wien) 풍경

드러커의 유아기인 1910년대(1909-1919)는 20세기 역사의 발원지였다. 오랫동안 연속성을 유지하던 빈(Wien)에 복합적인 변화가 일어난 세기의 전환기였다. 말하자면 오스트리아는 정치적으로는 실패한 다민족 국가였고, 빈은 문화적으로는 심리학, 경제학, 미술과 음악 등 여러 분야에서 빈 학파라 불리는 혁신을 이루고 있었던 때였다.

이 시기에 일어난 중요한 사건 세 가지를 꼽는다면, 제1차 세계대전(1914－1918)과 볼셰비키혁명(1917) 그리고 포드자동차의 이동식 조립생산시스템(1913)을 들 수 있다. '전쟁의 시대', '혁명의 시대', '대량생산의 시대'라는 20세기 역사의 특징들은 모두 1910년대 역사의 호수에서 발원한 것이었다. 르네상스와 시민혁명, 그리고 산업혁명을 거치면서 19세기까지 엘리트들이 발전시켜 온 고상한 가치들이 20세기 초 10년 동안 모두 종말을 고했다.

그 자리를 대신한 것은 전쟁에서 승리하기 위해서라면 무자비한 민간인 살상과 독가스 사용조차 서슴지 않은 20세기 초 유럽의 모습이었다. 보불전쟁(Franco-Prussian War, 1870－1871)에서 프랑스는 하루 1만여 발의 포탄이면 충분했으나, 제1차 세계대전에서는 하루 20만 발을 사용해도 모자라게 됐다. 전쟁이 이처럼 야수성을 더하게 된 데는 과학과 기술의 발달, 그리고 대량생산 시스템 때문이었다.

대량생산 시스템의 출현에는 프레더릭 테일러(Frederick Winslow Taylor, 1856－1915)의 영향이 컸다. 퀘이커교도 집안에서 태어난 테일러는 공장 노동자들의 능률향상을 위한 운동을 추진하고 있었고,

그 결과를 1911년 《과학적 관리법》이라는 책으로 출판하여 주먹구구식 경영을 과학적 경영으로 전환시키고 있었다. 1993년 《자본주의 이후의 사회》에서 드러커는 마르크스를 비판하고 프레더릭 테일러가 이룬 큰 업적을 매우 높이 재평가했다. 드러커는 일찍이 1946년 한 잡지에서 "산업평화를 위해 필요로 하는 것은 새로운 과학이지 이념이 아니다"라고 갈파했다.

## 세기 전환기의 지식인들

피터 드러커는 1909년 11월 19일 오스트리아의 고위 공무원인 아돌프 버트럼 드러커(Adolph Bertram Drucker, 1876-1967, 나중에 오스트리아 무역통상부 장관 역임)와 오스트리아에서 최초로 의학을 공부한 여성 중 한 명인 캐롤라인(Caroline Bondi, 1889-1954) 사이에서 장남으로 태어났다.

드러커가 태어난 제1차 세계대전 발발 직전의 빈에는 합스부르크 제국의 잔재가 아직 남아 있었다. 프란츠 요제프 황제(Franz Joseph, 1830-1916)도 살아 있었는데, 프란츠 요제프 시대의 빈은 새로운 문학적 예술적 창의성이 절정에 이른 시기였다. 프로이트(Sigmund Freud, 1856-1939)의 정신분석학이 주목을 끌었고, 소설가 스테판 츠바이크(Stefan Zweig, 1881-1942)와 철학자 루트비히 비트겐슈타인(Ludwig Wittgenstein, 1889-1951) 등이 그 시기를 빈의 황금시대로 만들었다.

드러커의 부모는 자택에서 파티를 자주 열었다. 매주 월요일은 아버지의 주최로 '정치의 밤'이 열렸는데 정치가와 학자, 은행가들이 주로 모였다. 매주 수요일에는 어머니의 주최로 '의학과 정신분석의 밤'을, 금요일에는 특별한 주제가 없는 파티로 드러커의 집이나 부모의 친구들의 집에서 번갈아 열렸다. 아이들은 열 살이면 금요일의 파티에, 열네 살이면 월요일과 수요일의 파티에 참가할 수가 있었는데, 드러커의 남동생 게르하르트(Gerhardt)는 파티 자체에 무관심했으나 드러커는 반드시 참석하여 귀동냥을 했다.

드러커가 어릴 때 만났던 사람들 중에는 오스트리아와 유럽의 명사들이 많았다. 오스트리아 재무장관 헤르만 슈바르츠발트(Hermann Schwarzwald, 1871-1939) 박사와 그의 아내 에우게니 여사, 경제학자 루드비히 폰 미제스(Ludwig von Mises, 1881-1973), 조지프 슘페터(Joseph Schumpeter, 1883-1950), 프리드리히 폰 하이에크 같은 경제학자들, 법학자이자 드러커의 이모부이기도 했던 한스 켈젠(Hans Kelsen, 1881-1973), 제국의회 의원으로서 나중에 체코슬라비아의 건국 대통령이 된 토마스 마사리크(Tomas Garrigue Masaryk, 1850-1937)와 그의 아들 얀 마사리크(Jan Garrigue Masaryk, 1886-1948) 등이었다. 그들 중 몇몇 사람들은 드러커에게 큰 영향을 주었을 뿐만 아니라 세월이 많이 흐른 후 생각지도 못했던 곳에서 재회하기도 했다.

## 나치의 등장

1933년 1월 30일 히틀러가 정권을 장악하자마자 취한 조치는 유태인 탄압이었다. 상징적으로 아인슈타인(Albert Einstein, 1879-1955)의 은행예금을 동결시켰다. 신변에 위협을 느낀 아인슈타인은 "나는 개인에게 법률상 평등한 권리와 언론, 학문의 자유가 주어지지 않는 국가에 더 이상 머물기를 원치 않는다"고 발표한 후 미국으로 떠났다.

드러커의 부모 역시 히틀러가 오스트리아를 점령한 직후 미국으로 이주했다. 아버지는 미국에 온 후에 노스캐롤라이나 대학교와 아메리칸 대학교에서 국제경제학을 강의했고, 워싱턴에서 유럽 재건계획을 돕기 위한 조직인 미국 관세위원회에 자문을 했으며, 마지막으로는 캘리포니아 대학교 교수로 봉직하다가 1967년 캘리포니아에서 91세로 생을 마쳤다.

## 선택한 자는 고통을 겪는다

드러커의 아버지는 김나지움을 졸업한 드러커가 대학에 진학하여 교수가 되기를 강력하게 원했다. 아버지는 "너는 장사꾼으로서의 재능이 부족해"라는 말을 여러 번 했고, 드러커도 그 점을 인정했다. 드러커는 대학을 졸업하면 관료나 대학교수로 성공이 예정된 사람이었다. 그러나 드러커는 아버지의 기대를 저버리고 1927년 독일 함부르크로 가서 무역회사의 견습생이 되었다.

드러커가 전체주의 또는 국가와 사회의 보호 아래 아무런 생각 없이 살아갈 것이 아니라, 지식인으로서 개인적 판단을 근거로 자기관리와 책임을 통해 스스로 살아가야 한다고 최초로 자각한 것은 14세의 생일을 8일 앞둔 날의 사건 때문이었다. 1923년 11월 11일 합스부르크 가의 마지막 황제 카를 1세(Karl 1, 1887-1922, 오스트리아 제국 최후의 황제, 재위 1916-1918)가 퇴위하고 공화제 선포 5주년 기념 가두행진 때였다.

이날 빈에서는 대대적인 기념행사가 개최되었고 가두행진이 있었다. 이 가두행진에서 드러커는 빈의 제19지구(드러커가 사는 그린칭 지역) 청년단의 선두에서 커다란 붉은 기를 들고 행진하게 되었다. 원칙적으로 만 14세 미만의 고교생은 법률상 정치활동에 참가할 수 없었지만 법정 연령에 8일 미달한 것은 별문제가 되지 않을 것으로 판단했고, 드러커 자신도 독립심이 강해서 이 행진에 선뜻 참여했다. 그때 청년 행진단 앞에 물웅덩이가 나타났고, 드러커는 피하고 싶었으나 뒤에서 계속 밀고 오는 시위대에 떠밀려서 물웅덩이를 밟고 그냥 지날 수밖에 없었다. 혼자서 온몸으로 진로를 바꾸려고 노력했지만 헛수고였다. 커다란 힘에 밀려서 자신이 원하지도 않은 길을 가야만 하는 것은 드러커에게는 참을 수 없는 고통이었다. 드러커는 곧 깃발을 뒷사람에게 넘기고 대열에서 이탈하여 집으로 돌아와 버렸다. 앞으로 자신이 남들과는 다른 견해를 갖는 것이 숙명이 될지도 모른다고 느꼈다.

드러커는 쇠락해가는 작은 나라 오스트리아의 수도 빈이 싫었다. 그런 상황에서 빠져나갈 수 있는 가장 쉬운 방법은 독일이나 영국에서 견습 일자리를 얻는 것이었다. 드러커의 삶은 그후 순탄치만은 않았다. "선택한 자는 고통을 겪는다"라는 독일 속담처럼 드러커는 인생의 고비마다 고통스런 선택을 하게 된다.

1927년 봄 드러커는 빈 김나지움을 졸업하고, 고향인 오스트리아 빈을 떠나 독일의 함부르크의 한 무역회사에 견습생으로 입사했다. 18세가 채 안 된 때였다. 드러커는 일찍부터 책임 있는, 성숙한 어른으로 취급받기를 원했다. 대학을 졸업하면 신분 상승에 유리하긴 했지만, 당시 유럽의 대학들은 순수 학문을 가르쳤기 때문에, 대학을 나와도 직업인으로서 필요한 기능을 익힐 수도 없었다. 그러려면 차라리 기술전문학교에 입학하거나 어떤 분야의 장인을 찾아가 도제가 되는 길을 택해야 했다. 게다가 1920년대 유럽 대륙에서는, 특히 함부르크나 암스테르담 그리고 바젤 같은 상업도시에서는 물론이고 오스트리아에서도, 가장 뛰어난 아들은 대학에 진학시키지 않는다는 전통이 남아 있었다. 그들은 가업을 이으려 14세쯤 일하러 나가, 회계사무소나 가게에서 견습생으로 근무했다.

## 히틀러와 괴벨스를 취재하다

드러커는 1927년 히틀러가 베를린에서 처음 나치 회의를 조직하고 1933년 권력을 잡는 기간 동안 함부르크의 한 수출회사의 견습사원으로서, 함부르크 대학교와 프랑크푸르트 대학교에서 법학을 공부하는 학생으로서, 그리고 프랑크푸르트의 한 머천트 뱅크의 증권분석가로 근무하면서 권력의 집중이 가져올 위협을 일찍이 감지했다.

〈프랑크푸르트 게네랄 안차이거〉 지의 기자가 된 드러커는 독일 정치 무대에 두각을 나타내고 있던 나치 당수 히틀러와 그의 오른팔 요제프 괴벨스(Paul Joseph Goebbels, 1897-1945)의 연설을 여러 번 들었고 직접 인터뷰도 했다. 괴벨스는 다음과 같이 연설했다. "농산물 가격의 인상으로 농민은 소득을 올리고, 도시의 노동자는 빵값의 인하로 생활비를 줄이고, 그리고 빵가게와 식료품가게 모두 더 많은 이익을 남길 것이다."

이 말은 분명 모순이었다. 그러나 청중들은 그런 선전술에 열광했다. 대부분의 기자들은 나치의 선전을 기껏 선거용 슬로건쯤으로 받아들이고 있었다. 반면 드러커는 나치의 등장을 심각하게 받아들였다. 드러커는 곧 나치즘(국가사회주의, 이탈리아에서는 파시즘)의 폭풍이 불어닥칠 것이라고 판단했다.

드러커는 동료 기자, 정계 인물, 산업계 리더들을 만날 때마다 나치의 위험성에 대해 경고를 했다. 하지만 오히려 주위 사람들로부터 "사람이 순진하기는…"하고 타박을 받았다. 독일의 우익 정당들은 '비천한 집안 출신인 히틀러를 다루는 것은 간단한 일'이라고 쉽게 생각하고 있었던 것이다.

드러커는 하루 빨리 프랑크푸르트를 탈출해야겠다고 생각했다. 이런 다짐을 할 무렵인 1933년 1월 나치가 독일의 정권을 장악했다.

드러커는 신문사에 근무하면서 여러 잡지에 경제와 금융 관련 글을 수시로 기고하고 있었다. 게다가 한몫의 일을 더 했는데, 프랑크푸르트 대학교에서 조교 자격으로 강의를 한 것이다. 그러던 중, 프랑크푸르트 대학교는 드러커에게 조교보다 한 단계 위인 임명직 강사 자리를 제의해왔다. 독일의 대학에서 임명직 강사가 되면 외국인은 자동적으로 독일 시민권을 얻게 되어 있었다. 그러나 드러커는 독일 시민이 되어 히틀러의 신하가 되는 일만큼은 죽어도 싫었다.

1934년 초, 갓 25세의 드러커는 오스트리아를 떠나기로 확고히 결심하고 여러 곳에 작별인사를 했다. 드러커는 어릴 때부터 잘 아는 전직 재무성 장관 헤르만 슈바르츠발트 박사를 찾아갔다. 헤르만이 말했다.

"무슨 일이든 혼자 해결하려는 자네의 태도를 나는 늘 높이 평가해 왔지. 자네가 고교를 졸업하기가 무섭게 빈을 떠나 외국에서 입신하려고 했을 때는 사실 자네를 건방진 사람이라고까지 생각했었네. 지난해 나치가 정권을 잡자마자 자네가 독일을 떠날 결심을 했을 때도 그랬었지. 빈을 떠나겠다는 자네의 이번 결심은 옳은 것이야. 빈은 과거의 도시이자 몰락한 도시거든. 사나이가 일단 이곳을 떠나기로 결심한 바에는 지체 없이 떠나야 해."

1937년 1월, 드러커는 런던에서 만난 도리스와 결혼식을 올리고 곧 미국으로 건너갔다. 아직은 히틀러가 오스트리아를 점령하기 전이라 쉽게 빠져나올 수 있었다.

## 이동사회 새로운 유목민의 전형

1937년 미국에 정착한 드러커는 기자, 작가, 교수(사라 로렌스 대학, 베닝턴 대학, 뉴욕 대학교, 클레어몬트 대학교)로 활동을 했다. 미국에서 생활한 68년(1937-2005) 동안 드러커는, 뉴욕 대학에서 정년을 맞은 후 만년의 약 25년을 보낸 클레어몬트를 제외하면, 한곳에서 대략 10년 미만 동안만 머물렀다. 드러커는 유럽에서 온 다른 많은 지식인들과 달리 태어난 유럽으로 되돌아가지도 않았고, 고향에 대한 향수도 없었으며, 오히려 고향에서부터 가장 멀리 떨어진 곳에서 생을 마쳤다. 그것도 자발적인 선택의 결과였다.

드러커의 삶은 세기의 전환기의 대문호 츠바이크와는 극히 대조적이었다. 1933년 나치가 득세하자 드러커는 1937년 미국으로 갔고, 츠바이크는 1941년 브라질로 갔다. 드러커는 2005년 95세로 캘리포니아 클레어몬트에서 천수를 누렸고, 츠바이크는 브라질에서도 적응을 못하고 유럽을 잊지 못해 61세에 스스로 목숨을 거두었다.

2000년 2월 28일자 신문에 "세계 경영학의 대부 피터 드러커 교수가 고국 오스트리아가 주는 명예박사 학위를 거부했다"는 기사가 실렸다. 드러커는 이렇게 말했다. "빈 경제대학의 관계자가 캘리포니아 클레어몬트로 와서 본인에게 명예박사 학위를 주기로 한 결정에 진심으로 감사한다. 그러나 유감스럽게도 본인은 이 제의를 받아들일 수 없다. 현 시점에서 이렇게 할 수밖에 없는 본인의 심정을 고국 오스트리아 정부에 대한 정치적 항의 제스처로 이해해 주길 바란다."

2000년 2월 4일 오스트리아는 국제사회의 우려와 반발에도 불구하고 나치즘 성향을 지닌 극우 연립정부가 출범, 국제사회에 파문을 일으켰다. 유럽 신나치(Neo Nazi) 세력의 대표주자 외르크 하이더(Joerg Haider, 1950-2008)가 이끄는 자유당과 볼프강 쉐셀 당수의 인민당이 오스트리아 집권 연정을 구성한 것이다. 하이더는 철저한 나치주의자였다. 빈 경제대학의 명예박사학위 제의가 드러커로 하여금 67년 전 그 악몽을 되살리게 했을 것이다. '지하의 나치'로 불리던 하이더는 2008년 10월 11일, 음주 교통사고로 사망했다.

### 멈춰라! 시간은 정말 아름다워!

드러커는 어떻게 다른 사람들은 미처 보지 못하는 것을 본다고 자신있게 주장할 수 있는가? 드러커는 히틀러의 《나의 투쟁》을 읽었고, 히틀러의 말을 그대로 믿었기 때문에 1937년 유럽을 떠났다. 드러커는 자신이 본 것을 현실로 보았고, 그것을 바탕으로 행동했다. 많은 유럽 지식인들이 낙관적인 생각으로 유럽에 남았고 그 종말은 비참했다.

1949년 말, 드러커는 뉴욕의 컬럼비아 대학에 교수로 부임하기로 결정되어 있었다. 남은 절차는 당시 컬럼비아 대학교 총장 드와이트 아이젠하워(Dwight Eisenhower, 1890-1969)의 서명뿐이었다. 그러나 세상은 늘 계획대로 되는 것은 아니었다. 드러커는 수업준비를 위해 컬럼비아 대학교에 나갔다가 아이젠하워 총장이 재정난을 이유로 교수 채용 서명을 거부했다는 사실을 알았다. 그러나 운명의 여신의 도움으로, 일주일 뒤 드러커는 뉴욕 대학교 매니지먼트학과를 신설하는 학부장에 취임하게 되었다. 드러커는 사실 자신이 비즈니스 스쿨에서 교편을 잡게 되리라고는 생각지도 않았다. 운도 따랐다. 물론 그런 기회를 잡을 수 있는 준비는

되어 있었다.

드러커는 자신을 괴테의 《파우스트*Faust*》(1831)에 나오는 인물 린체우스(Lynceus)와 동일시했다. 《파우스트》의 마지막 장에서 악마 메피스토펠레스와 계약한 파우스트는 금지된 말을 중얼거린다. "멈춰라! 시간은 정말 아름다워."

파우스트가 정상에 도달하기 직전, 전망탑 꼭대기에서 망을 보던 린체우스는 큰 소리로 자기 자신을 소개한다. "보기 위해 태어났다는 것은 바깥을 내다보기만 하도록 운명 지워졌다는 뜻이야."

린체우스는 저 멀리서 무슨 일이 일어나는지, 그리고 여기서는 무엇이 곧 닥쳐오고 있는지 알려주기 시작했다.

드러커는 자기 자신은 '관찰자'이지 '참가자'가 아니며, 직접 참여를 하지 않기 때문에 한층 더 예리하게 관찰할 수 있다고 했다.

세계 정치와 세계 경제가 당면하고 있는 것이 무엇인지, 그리고 희미하게 나타나고 있는 것이 무엇인지 관찰하고 또 전달하는 것이 그가 수행한 일이었다.

드러커는 어떻게 해서 다른 사람들이 채 보지 못하는 것을 본다고 자신 있게 주장할 수 있는가? 천리안이라도 있다는 말인가? 드러커는 대답한다. "나는 결단코 예측을 하지 않는다. 단지 창 밖을 내다보고 현실을 관찰하고는, 남들이 아직 보지 못하고 지나치는 것을 파악할 뿐이다."

## 각각의 세대는 새로운 혁신이 필요하다

'현대 경영학의 아버지'라는 말을 듣는 드러커는 스스로 도그마에 빠지지 않았다. 필자는 드러커에게 자신의 경영사상의 후계자가 누구인지 물은 적이 있다. 이에 대해 드러커는 짧게 "노(No)"라고 대답했다.

드러커는 1985년 《경영혁신과 기업가정신》에서 제퍼슨과 괴테의 말을 인용했다.

"토머스 제퍼슨(Thomas Jefferson, 1743-1826)은 자신의 긴 생애를 마감할 무렵 '어느 세대나 그 세대를 위한 새로운 혁명을 필요로 한다'고 결론을 내렸다. 같은 시대 독일의 위대한 시인 괴테

(Johann Wolfgang Goethe, 1749-1832)도, 비록 극단적인 보수주의자였지만, 그가 만년에 읊은 시에서는 제퍼슨과 같은 심정을 토로했다. '한때는 그다지도 합리적이었던 것이 이제는 무의미해지고, 은혜는 재앙의 씨앗이 될지니….'

제퍼슨과 괴테 둘 다 계몽주의와 프랑스혁명의 유산에 대해 그들 세대가 품고 있는 환멸을 이런 식으로 표현했다. 우리는 또한 이론, 가치, 그리고 인간의 마음과 손이 만들어낸 모든 가공품은 늙고 경직되며, 진부해지고는 결국 '재앙의 씨앗'이 된다는 것도 알고 있다. 따라서 혁신과 기업가정신은 경제에서 필요한 것만큼 사회에서도 필요하고, 기업에서 필요한 것만큼 공공 서비스기관에서도 필요하다."

드러커가 인용한 보수주의적 인물 괴테와 제퍼슨이 혁신을 강조한 것처럼, 요제프 올브리히(Joseph Olbrich, 1867-1908)가 설계한 오스트리아의 분리파 예술회관 현관 위에는 분리파의 목표, 즉 "시대에는 그 시대의 예술을, 예술에는 자유를"이라는 구호가 적혀 있다.

조금 비약하자면, 드러커는 자신의 생각과 이론과 주장도 결국 혁신의 대상이 되고, 마치 자신이 프레더릭 테일러를 재평가하고 또한 테일러를 초월했듯이, 누군가 경영학에도 '학문적 기업가정신'을 가진 사람이 나타나 새로운 현실에 적합한 새로운 생각과 이론과 주장을 해야 한다는 것을 암시한 것이리라. 드러커는 철도에서 인터넷까지, 즉 산업사회에서 지식사회의 초기에 이르기까지 자신의 이론과 통찰이 들어맞았지만, 그후에는 새로운 통찰이 필요하다고 스스로 말하는 것이 아닐까?

## 자기관리와 자기 책임을 실천한 드러커

츠바이크는 이런 말을 한 적이 있다. "인류 역사에 결정적인 역할을 하는 것은 행동 그 자체가 아니라, 그 행동에 대한 인식과 그 행동의 영향이다."

드러커는 이렇게 말했다. "노력과 비용은 조직의 내부에 있지만, 결과와 산출은 조직 외부에 나타나고 또 존재한다."

츠바이크는 드러나지 않는 인간 내면의 의식을 중요시한 반면, 드러커는 드러난 결과를 중시했다.

츠바이크는 세상이 살 만한 것인가를 따져보는 데 고민했다면, 드러커는 세상이 살 만하도록 만들기 위해 노력했다. 드러커가 지식근로자의 자기관리를 강조한 것도 그런 의미에서이다.

드러커는 좋은 환경에서 태어나 성공이 보장되어 있었다. 그러나 만약 그렇게 예정된 삶을 살았으면 그는 유럽의 다른 많은 지식인들처럼 나치 치하의 유럽에서 허무한 죽음을 당했을지도 모른다. 운도 따랐지만 드러커는 스스로 판단하고 행동했고, 자기계발을 했으며, 자신의 지식을 가장 유리하게 사용할 수 있는 곳을 찾아 이동했다. 드러커는 '정착'이 아니라 '이동'이 특징인 지식사회의 한 대표적인 지식근로자의 일생을 스스로 만들어갔다. 드러커는 운명적으로 '타고난 관찰자'이지만, 자기관리와 자기 책임을 스스로 실천해 갔다.

1992년 필자는 드러커에게 그 많은 호칭들—정치학, 경제학, 사회학, 철학, 역사학, 경영학 교수, 저널리스트, 경영평론가, 경영컨설턴트, 소설가 등—가운데 무엇이 가장 마음에 드냐고 물은 적이 있었다. 드러커는 낮은 목소리로 "나는 사회과학 겸 경영학 교수예요"라고 대답했다. 몇 년 후 그의 대답은 "사회생태학자라고 불러주세요"라고 바뀌었다. 2001년 말, 필자는 92세의 드러커에게 외람된 질문을 한 적이 있다. "박사님의 친구들은 대부분 은퇴하셨는데, 박사님은 언제 은퇴하시렵니까?" 그러자 드러커는 각운을 맞추어 대답했다. "나는 은퇴할 욕심이 없다네."(I have no desire to retire.)

## 펜을 잡은 채 눈을 감다

2005년 11월 11일 피터 드러커는 96세로 타계했다. 거의 70년 동안 기자, 금융인, 저술가, 정치경제학 교수, 컨설턴트, 인문학 교수(동양예술 강의), 소설가(두 권의 소설을 발표했다), 사회생태학자(만년에 스스로 붙인 칭호)로서 지적으로 폭넓은 삶을 살았다. 기업은 물론, 정부, 박물관, 교회 등 각종 비영리단체들까지 그의 컨설팅 대상에 포함되었다. 따라서 드러커는 '현대 경영학의 아버지'라는 칭호가 적합하지 않을 수 없다.

드러커는 미국에 정착한 후 1939년 첫저서 《경제인의 종말》을 시작으로, 1954년 《경영의 실제》, 1967년 《자기경영노트》(목표를 달성하는 경영자), 1968년 《단절의 시대: 변화하는 우리 사회를 위한 지침서》, 1973년 《경영: 과제, 책임, 실제》, 1985년 《경영혁신과 기업가정신》, 1989년 《새로운 현실》, 1990년 《비영리단체의 경영》, 1993년 《자본주의 이후의 사회》, 1999년 《21세기 지식경영》, 2002년 《넥스트 소사이어티》 등 40권에 가까운 저서를 펴냈다.

드러커는 1950년 HBR(하버드 비즈니스 리뷰)에 '경영자는 경영을 해야 한다'(Management Must Manage)를 기고한 이후 2004년 마지막 논문 '목표를 달성하는 최고경영자의 행동 규칙'(What makes an Effective Executive)을 발표할 때까지 54년 간 36편의 논문을 기고했다. 드러커는 HBR에 기고한 어떤 저자들보다도 더 많은 논문을 기고했고, 그때마다 새로운 논란을 불러일으키곤 했다. 그리고 36편의 논문들 중 7편이 맥킨지 상(Mckinsey Award)을 수상했다. 맥킨지 상은 1959년 이래, HBR에 게재된 논문들을 심사하여 그 중 가장 영향력 있는 논문을 선택하여 맥킨지 재단이 수여하는 상이다. 드러커가 맥킨지 상을 다수 수상했다는 것은 경영에 대한 드러커의 수많은 선견지명이 그의 논문을 통해 제시된 후 10년쯤 지나면 경영학 사상의 주류를 형성하게 되곤 했다는 것을 암시한다. 리엔지니어링(reengineering)이 그 대표적이다.

2004년 말 드러커에게 "박사님은 어떤 사람으로 기억되기 바랍니까?"라고 여쭈었더니, 이내 "몇몇 사람들이 그들의 목적을 달성하도록 도와준 사람으로 기억되기 바랍니다"라는 대답이 돌아왔다.

드러커가 타계한 후, 필자는 도리스 여사에게 그가 어디서 임종을 맞았는지, 그리고 마지막 남긴 말은 무엇이었는지 묻는 이메일을 보냈다. 다음날 온 회신의 내용은 이랬다. "물론 집에서 눈을 감았지요. 닷새 동안 혼수상태에 빠져서 간간히 무슨 말을 하긴 했지만, 별달리 기억할 만한 최후의 말은 없었어요. 하지만 돌아가시기 닷새 전까지 펜을 들고 글을 쓰고 있었지요."

"사람들로 하여금 목적을 달성하도록 도와준 사람으로 기억되기 바란다"고 한 말처럼, 드러커는 많은 사람들에게 도움을 주고 갔다.

# 윈스턴 처칠

*Winston Churchill*

91세(1874–1965)

"never,
never,
never give up!"

## 지진아 취급을 받은 팔삭둥이 처칠

처칠은 1874년 11월 30일 옥스퍼드 인근 블레넘 궁(Blenheim Palace)에서 태어났다. 유네스코 지정 문화재인 이 궁전은 1688년 영국의 명예혁명과 스페인 계승전쟁에서 큰 공을 세운 처칠의 8대조 말버러 공작 존 처칠(John Churchill, 1st Duke of Marlborough, 1650-1722)에게 하사된 대저택이다. 처칠의 아버지 랜돌프 처칠 경(Lord Randolph Henry Spencer Churchill, 1849-1895)은 보수당 당수와 재무장관을 역임한 인물이었고, 어머니 제니 제롬은 미국의 은행가이며, 뉴욕 타임스의 대주주였던 레너드 제롬(Leonard Jerome)의 딸이었다.

처칠의 아버지는 임신 8개월 만에 태어난 아들이 언어장애가 있는데다 지능발달이 늦어 군인 이외의 직업에는 맞지 않는다고 생각했다. 처칠 또한 군인 집안 출신답게 전쟁놀이를 무척 좋아했다. 게다가 사교 활동에 바쁜 부모의 무관심으로 어린 시절의 처칠은 우울했다. 1888년 해로우 스쿨(Harrow School)에 입학한 그는 군사교육 조직인 해로우 소총부대에 가입하여 군인으로서 최초의 경력을 쌓았다.

처칠은 라틴어와 희랍어에는 거의 낙제 수준이었으나, 영어와 역사 과목에는 뛰어났고 펜싱 경기에서 우승을 차지하기도 했다. 1893년 샌드허스트 육군사관학교(Royal Military Academy, Sandhurst)에 입학했는데, 3번의 도전 끝에 이룬 결실이었다. 그나마도 입학성적이 낮아 보병이 아닌 기병 병과에 배정받았다. 다행히 기병은 그가 싫어하는 수학을 배우지 않아도 되었다.

1894년 군사 과목에서 우수한 성적을 받은 처칠은 동기 150명 중 8등으로 졸업하고 1895년 소위로 임관하여 제4경기병 연대에 배치되었다. 그해 휴가를 얻어 비공식적으로 쿠바에 건너가 반란 진압작전을 수행하고 있던 스페인군과 합류했다. 이때의 체험기를 런던의 〈데일리 그래픽〉지에 기고하여 모험여행의 비용으로 충당했다.

처칠은 많은 사람들과의 만남, 다독(多讀)과 사색으로 성숙해갔다. 쿠바로 가는 도중 뉴욕에서 만난 아일랜드 출신 미국인 변호사 겸 정치가 윌리엄 파크 코크란(Cockran, 1854-1923)에게서 연설의 중요성을 배웠다. 처칠은 말투가 어눌해서 이 결점을 교정하기 위해 무척 노력했다. 즉석 연설이 서툴렀던 그가 훗날 명연설을 보여준 것은 미리 원고를 써서 암기한 결과였다.

1896년 9월부터 그는 인도에서 제4경기병 연대의 사관으로 근무했고, 그즈음 에드워드 기번의 《로마 제국 쇠망사》를 비롯해 역사서적과 철학, 경제학, 정치학 저술을 즐겨 읽었다.

1897년 인도의 북서 변경지구에 있는 파키스탄족 진압 작전에 참여했을 때는 군인과 신문기자라는 이중 역할을 수행했다. 키치너 장군(Herbert Kitchener, 1850-1916)이 지휘한 나일 강 원정에도 군인 겸 종군기자로 참전했다.

1897년 인도에서 쓰기 시작한 소설《사브롤라*Savrola*》와 강연과 저작을 발표하여 2년간 약 1만 파운드를 벌었다. 1898년 9월의 옴두르만 전투에 제21 창기병대 소속으로 돌격전에 참가했다. 그때 런던의 〈모닝 포스트〉지에 기고했던 기사를 보완하여 《강의 전쟁 *The River War*》(1899)으로 출간했다. 그렇게 다져간 자신의 대중적인 명성을 발판으로 처칠은 정계 진출을 시도했다.

당시 영국의 하원의원은 급여가 지불되지 않아 그는 저술을 해서 정치활동 자금을 마련해야 했다. 1899년 7월, 면직물로 유명한 랭커셔의 올더햄(Oldham)에서 실시된 보궐선거에 보수당 후보로 첫출마했으나 보기 좋게 낙선한 이후, 처칠은 열네 번 선거에 출마하여 성공과 패배를 거듭했다. 군인으로서 처칠은 이런 말을 했다. "전쟁의 세계에는 두 마디 말밖에 없다. 이기느냐, 지느냐이다." 그리고 정치가 처칠은 이렇게 말했다. "사람은 전쟁에서는 오직 한 번 죽지만 정치에서는 여러 번 죽는다."

낙선한 처칠은 곧 할 일을 찾았다. 1899년 10월 남아프리카 전쟁(보어 전쟁)이 발발하자 〈모닝 포스트〉지의 특파원으로 참전한 것이다. 그러나 곧 포로가 되었고, 그해 12월 12일 극적으로 프리토리아의 포로수용소를 탈출했다. 다음해 7월 영웅이 되어 영국으로 귀환한 그는 1900년 10월 올더햄 선거에 재출마, 드디어 하원의원에 당선되었다.

## 보수당에서 자유당으로

처칠은 보수당 의원이었지만 독자적인 정치적 견해를 가지고 있었다. 보호무역주의적인 관세장벽을 제안한 보수당 지도부에 반대하여 자유무역을 주장한 것이다. 이로 인해 처칠은 1904년 5월 31일 보수당에서 자유당으로 이적했다. 자유당 소속으로 1906년 1월 맨체스터 서북 선거구에서 다시 하원의원에 당선된 처칠은 자유당 내각의 식민차관(植民次官)에 임명됨으로써 정치 경력의 첫발을 내디뎠다.

1908년 애스퀴스(Herbert Henry Asquith, 1852-1928)가 이끄는 자유당 내각에서 상공장관(商工長官)으로 임명되어 첫 국무위원이 되었다. 당시 신임 각료는 재선거를 치러 유권자의 지지를 확인받아야 했는데, 처칠은 맨체스터의 서북 선거구 보궐선거에서 근소한 차로 패배했다. 그러나 스코틀랜드의 던디 보궐선거에서 승리하여 의회에 복귀했다. 이때 처칠은 급진적 사회개혁안을 지지하

처칠과 클레멘타인

여 노동계급의 표를 얻었는데 이로 인해 보수당은 그를 배신자라고 공격했다. 그해 9월 스코틀랜드 귀족의 딸 클레멘타인 호치에(Clementine Hozier, 1885-1977)와 결혼했다.

상공장관으로서 처칠은 복지국가 정책의 선구라고 할 수 있는 사회개혁을 추진하고 있던 재무장관 로이드 조지와 긴밀히 협력하여 노인연금, 건강보험, 실업자 구제를 위한 직업소개소, 적정임금제의 도입, 과중한 노동시간을 제한하는 공공기관의 설립 등에 공헌했다. 1909년 로이드 조지 재무장관이 부자에게 중과세를 부담시키려는 예산안을 내놓자, 보수당이 장악한 상원의 반대에 부딪혔다. 그러자 처칠이 상원을 통렬히 비난하면서 보수당의 관계가 더욱 악화되었다.

**시드니 거리 포위사건**
1910년 12월 한 무리의 무정부주의자들이 도둑질을 하다가 포위당하자 런던의 경관 3명을 살해하고 총과 폭탄을 들고 최후까지 경찰과 군대에 저항한 사건. 시사적인 사건을 촬영하여 정기적으로 상영하는 뉴스 영화가 이 사건을 다루었는데, 현장에 있던 처칠의 모습을 클로즈업으로 비추어 처칠을 비난했다.

처칠이 내무장관으로 재직중이던 당시는 탄광의 광부와 철도원의 파업이 계속되며 노동 불안을 일으키던 시기였다. 내무장관으로서 처칠은 법과 질서를 유지할 책임이 있었다. 지방자치단체가 내무부에 지원을 요청하는 경우에만 경찰을 파견했고 군대는 최후의 수단으로 사용했다. 그러나 처칠에 대한 영국 노동운동계의 뿌리 깊은 불신은 이미 시작되었다.

처칠은 1910년 12월, 이른바 시드니 거리 포위사건이 발생할 당시 현장에 있었다는 이유로 노동자들의 공격을 받았다.

## 제1차 세계대전의 실패 경험

1911년 10월, 처칠은 해군장관으로 자리를 옮겼다. 1911년 7월 독일이 포함(砲艦) 판테르호를 아가디르(Agadir)에 파견하여 영국과 프랑스의 모로코 정책에 영향력을 행사하자 처칠은 영국이 앞으로 있을지도 모를 전쟁에 대비해야 한다는 확신을 가졌다. 처칠은 육군과의 전략조정을 위해 해군사령부를 설치하고, 석탄 대신 중유를 연료로 하여 더 큰 대포를 적재할 수 있는 고속전함을 건조하고, 해군항공부를 발족시켰다. 그 사이 처칠 자신도 비행기 조종술을 배웠다.

제1차 세계대전 직전 영국은 아일랜드 독립 요구로 큰 혼란을 겪었는데, 영국은 이 격렬한 분쟁을 해결하지 못한 채 1914년 8월 4일 제1차 세계대전에 참전했다. 연합군과 독일군이 서부 유럽에서 참호전으로 교착상태에 빠져 있었을 때, 처칠은 해군력을 이용하여 다르다넬스 해협을 돌파하는 측면우회작전을 제안했다. 무기와 탄약의 부족으로 독일의 강공에 위축되어 있던 러시아에 물자 보급로를 마련하는 것도 이 작전의 한 목적이었다.

하지만 일명 갈리폴리 작전(Battle of Gallipoli, 1915-1916)이라 불리는 다르다넬스 작전은 참패로 끝났다. 갈리폴리 반도에 상륙한 영국 연방군은 21만 3000명 이상의 사상자를 냈다. 처칠은 이 대실패에 책임질 수밖에 없었다.

애스퀴스 총리는 처칠을 해군장관에서 해임한다는 조건으로 보수당과 연립내각을 구성했다. 1915년 11월에 사임한 처칠은 프랑스 전선에서 제6 로열 스코틀랜드 퓨질리어(Royal Scots Fusiliers) 연대를 지휘했다. 1916년 6월 처칠은 의회에 복귀했고, 1917년 7월 총리가 된 로이드 조지는 처칠을 군수장관으로 내각에 복귀시켰다. 군수장관 처칠은 1917년 11월 20일 최초로 전차(戰車, tank)를 제작하고 실전에 배치했다.

## 반공주의자 처칠

1919년 1월 처칠은 공군장관 겸 육군장관으로 임명되었다. 반볼셰비키주의자(반 레닌주의자)였던 처칠은 러시아 백군을 지원하기 위해 러시아에 8000명의 의용군과 보급품을 파견하고 러시아에 연합군을 투입했다. 이런 조치로 그는 볼셰비키주의를 추종하던 영국의 노동자들로부터 적대감을 샀다. 1921년에 처칠은 식민장관이 되어 이라크와 요르단의 정치를 안정시켰다. 같은 해에 수립된 아일랜드 자유국 정부를 원조했고, 아일랜드의 내전을 평화상태로 전환시키는 데 기여했다.

■ ■ ■
**케말 파샤**
터키공화국 건국자, 초대 대통령. 케말 아타튀르크라고도 한다. 세브르조약에 대한 민족독립전쟁을 일으켜 그리스 군을 격퇴하였으며, 정치 개력으로 술탄제도를 폐지하고 연합국과 로잔조약을 체결했다. 공화제를 선포하고 대통령이 되었으며 정당정치를 확립했다.

1922년 연합군의 터키 주둔을 달가워하지 않은 터키의 **케말 파샤**(Mustafa Kemal Pasha, 1881–1938)가 발칸 반도를 침공했을 때 처칠은 영국 육해군이 단호한 태도를 보여야 한다고 주장했다. 터키의 침공은 진압할 수 있었으나 처칠의 정책은 군국주의적이라는 비난을 면치 못했다. 영국 국내정치 위기가 심화되자 제1차 세계대전을 승리로 이끈 로이드 조지 총리가 이끄는 자유당–보수당 연립정부는 붕괴되었다.

보수당은 1922년 11월 총선거에서 독자 정권을 획득했다. 연립정부를 지지하면서 입후보했던 처칠은 던디 선거구에서 1만 표 이상의 큰 차이로 낙선했다. 1923년 12월 총선거에서도 출마했으나 또 패배했다. 이 시기 처칠은 노동당과 공산주의자에 맞설 강력한 대항세력을 의회 내에서 형성해야 한다고 믿고 있었다. 그것을 실현하기 위해 중도파와의 연립을 희망하며 1924년 3월 웨스트민스터 지구 보궐선거에 출마했으나 역시 낙선했다.

의회를 떠나 있는 동안 처칠은 쉰 줄에 접어들었다. 이때 그는 미리 은퇴생활을 한 셈이었다. '미리' 했다는 말은 처칠이 정치에 재등장한 후, 죽을 때까지 은퇴하지 않았기 때문이다. 처칠은 제1차 세계대전을 배경으로 쓴 자전적 역사서 《세계의 위기*The World Crisis*》를 1923년부터 쓰기 시작하여 1931년에 출판했다. 그는 그림에도 열정적이었는데, 아마추어 화가로서의 그의 이름은 찰르 마린(Charles Marin)이었다. 또 블록쌓기를 즐겼다.

1924년 11월의 총선거에서 처칠은 보수당 후보로 당선되었고, 보수당 당수 볼드윈(Stanley Baldwin, 1867-1947)은 처칠을 곧 재무장관으로 임명했다. 재정문제에 있어 처칠은 엄격한 정통주의를 고수했다. 처칠이 영국의 파운드화를 금본위제로 복귀시키자 경제학자 케인스는 처칠을 신랄하게 비판했다. 금본위제로의 복귀정책은 디플레이션, 실업, 광부의 파업, 1926년의 총파업 등을 야기했다. 처칠은 이 총파업이 국민을 볼모로 하는 것이라고 생각하여 강경한 조치를 취할 것을 주장했다. 파업이 절정에 이르고 런던의 거의 모든 신문이 휴간하자, 정부의 견해를 옹호하는 〈영국 관보〉를 직접 발간했다. 1929년 6월 보수당 정부가 무너졌을 때 처칠은 노동당 소수 정부와 협력하려는 보수당 당수 볼드윈에게 반대했다. 처칠과 볼드윈의 관계는 특히 처칠이 인도에 자치령의 지위를 승인하자는 볼드윈의 제안을 비난하면서 더욱 악화되었다.

처칠은 인도통치법에 반대하며 예비내각에서 사임했다. 처칠은 의석은 보유하고 있었지만 지나치게 독립심이 강해 당 규율을 받아들이기 힘든 인물로 간주되어 자유당과 보수당 양쪽으로부터 큰 불신을 샀다. 그러나 저술가로서는 성공하여 《나의 반생*My Early Life*》(1930)과 《말버러 : 그의 생애와 시대*Marlborough : His Life and Times*》(1933–38) 등을 저술했다.

## 대 독일 강경론과 유화론

처칠은 점차 독일의 재무장 위협에 주의를 기울이기 시작했다. 자신의 주장에 동조하는 사람은 적었지만 특히 그는 영국 공군은 독일 공군에 비해 우위를 유지해야 한다고 강조했다. 1935년 10월, 베니토 무솔리니가 지휘하는 이탈리아군이 에티오피아를 침공했다. 처칠은 만약 영국이 이탈리아에 제재조치를 취한다면 무솔리니가 히틀러에게 접근할지도 모른다고 생각하여 처음에는 제재에 반대했다. 그러나 영국이 일단 행동을 취한 이상 최후까지 목적을 철저히 관철하지 않으면 안 된다고 생각했다.

1937년에 네빌 체임벌린(Neville Chamberlain, 1869–1940)이 볼드윈의 뒤를 이어 보수당의 당권을 장악하자 처칠과 보수당 지도부와의 골은 더욱 깊어졌다. 처칠은 독일의 재무장과 팽창정책에 대한 정확한 정보를 제공했지만 그의 경고는 무시되었다. 제2차 세계대전 직전 영국의 정계는 독일(히틀러)에 대한 강경론자와 유화론자로 나누어 있었다. 양쪽 다 전쟁을 방지함으로써 민주적 사회를 유지하려는 시도는 소용없다고 보았다. 강경론자들은 "전쟁

**체임벌린과 뮌헨 회담**
제1차 세계대전이 끝난 후 1919년 9월 10일, 생제르맹조약에 따라 체코슬로바키아가 독립했고, 독일인들이 인구의 다수를 차지하던 수데텐이 체코슬로바키아로 편입되었다. 1938년 2월 20일 히틀러는 연설에서 수데텐 지역에 거주하는 약 300만 명의 독일인들이 독립해야 한다고 주장했고, 체코는 당연히 거절했다. 이어 1938년 9월 30일 독일, 영국, 프랑스, 이탈리아 4개국 대표들이 뮌헨에서 회담을 열고 수데텐을 히틀러에게 할양하기로 결정했다. 그 지역 소수민인 체코인은, 모든 권리와 자유를 박탈당했다. 체임벌린 수상은 이로써 제2차 세계대전을 막았다고 했으나, 처칠은 그것을 완전한 패배라고 비난했다.

을 막는다는 명분하에 무엇이든 양보해야 하는 사회체제는 사회로서 유지될 가치가 없다"고 보았고, 유화론자들은 "전쟁을 하게 되면 현재의 민주적 체제가 유지될 수 없다"고 보았기 때문이다.

유화론자 **체임벌린**은 히틀러가 더 큰 전쟁을 일으키지 않는다는 조건으로, 1938년 **뮌헨 회담**을 열고 체코슬로바키아의 수데텐 지방을 히틀러에게 넘겨주었다. 작은 양보로 큰 전쟁을 막겠다는 계획이었다. 그러나 이듬해 히틀러는 폴란드를 침공함으로써 2차 세계대전을 일으켰다.

## 처칠의 재등장을 촉구한 피터 드러커

제2차 세계대전 직전 유럽의 경제 분야에서는 모든 것, 즉 자유와 평등을 포기하더라도 경제적 악마(대공황과 실업)만큼은 반드시 물리쳐야 한다는 견해가 지배적이었다. 그래서 등장한 것이 전체주의적 군국주의 경제, 즉 국가사회주의 경제체제이다.

군국주의 경제는 산업사회의 겉모습은 유지하면서, 이윤추구를 배제하고 비경제적 성취를 더 명예로운 가치로 보았다. 히틀러는 기업의 고용주에게 어떤 자유도 기업통제력도 허용하지 않았다.

고용주는 군국주의 체제가 자신의 경제적 이익을 침해하는 경우에도, 오직 사회를 위해서 명령에 따라야만 했다.

더 심각한 것은, 그런 명령들은 정당한 권한에서 나오는 것이 아니라, 권한도 없거나 권한을 초월해 나온다는 것이다. 전시 경제 체제 하의 군대의 참모본부나 정부 관료로부터 나오는 것이다. 게다가 고용주는 신체적, 경제적으로 이동의 자유가 없었다. 경제적 용어로 말하면, 정부의 명령에 따라 언제든지 자신의 재산을 처분해야만 한다는 것, 그리고 자신의 공장을 폐쇄하는 것이든 혹은 생산을 두 배로 올려야만 하는 것이든 간에, 정부가 마음대로 결정한다는 것을 의미한다.

유럽 대륙에 나치즘과 파시즘이 위세를 떨치고 전 세계를 전체주의로 몰아갈 때, 처칠 같은 지도자가 나타나 국가사회주의를 봉쇄하는데 앞장서야 한다고 주장한 사람들 중 하나가 바로 피터 드러커이다.

1920년대 말 아돌프 히틀러(Adolf Hitler, 1889-1945)가 베를린에서 처음 나치 회의를 조직하고 권력을 장악해가는 동안 드러커는 권력의 집중이 가져올 위협을 일찍이 감지했다.

1929년 〈프랑크푸르트 게네랄 안차이거〉의 기자가 된 드러커는, 독일 정치 무대에 두각을 나타내고 있던, 나치 당수 히틀러와 그의 오른팔 요제프 괴벨스의 연설을 여러 번 들었고 직접 인터뷰도 했다. 청중들은 나치의 선전술에 열광했다.

드러커는 나치의 등장을 심각하게 받아들였고, 곧 나치즘의 폭풍이 불어닥칠 것이라고 판단했다. 1933년 1월 나치가 정권을 장악하고, 2월 25일 드러커가 시간강사로 국제법 강의를 하고 있던 프랑크푸르트 대학교에 나치 조정관이 파견되었다. 드러커는 다음날 프랑크푸르트를 떠나 런던에서 몇 년 간 머물다가 1937년 미국으로 갔다. 1939년 드러커는 히틀러의 나치즘과 무솔리니의 파시즘이 등장하게 된 원인을 분석하고 조만간 드러날 결과에 대해서 예측한 책 《경제인의 종말》을 출판했다. 제2차 세계대전이 발발하기 6개월 전이었다.

이 책이 대성공을 거두게 된 데는 처칠이 한몫을 했다. 처칠은 《경제인의 종말》에 대한 강렬한 찬사를 담은 서평을, 런던의 〈타임스 리터러리 서플먼트〉지에 기고했다. 그후 영국 수상이 된 처칠은 나치의 위험성을 경고하고 전체주의사회의 진실을 해부한 《경제인의 종말》을 영국의 사관학교 졸업생 모두에게 지급하라고 지시했다.

## 처칠의 등장과 세계 운명의 갈림길

전체주의라는 악의 세력에 맞서 싸운 유럽의 지도자 처칠의 등장은 역사의 결정적 사건이었다. 그것은 운명의 갈림길이었다. 1939년의 처칠은 한물 간 사람이었다. 그는 이미 65세의 힘없는 늙은이였고, 선거에서 여러 번 떨어진 바 있어 공직에는 부적합하다는 것을 스스로 증명한 사람이었다. 그의 열정적인 수사(修辭)에도 불구하고 그는 연설을 듣는 사람들을 따분하게 하는 사람이었다.

1939년 9월 3일, 영국은 독일에게 선전포고를 했다. 이날 체임벌린 수상은 전쟁 경험이 많은 백전노장 처칠을 해군장관에 임명했다. 그러나 노르웨이에서 영국 파견군의 패배, 1940년 5월 10일 독일군의 네덜란드 침공 등으로 인해 체임벌린은 사임했다. 후임 총리에 오른 사람은 뜻밖의 인물 처칠이었다. 체임벌린을 비롯해 뮌헨 회담에 참가한 영국 정치인들이 프랑스의 함락과 케르크 철수에 책임을 지고 1940년 모조리 물러났을 때에도 처칠이 그 후임이 되리라고는 아무도 예상치 못했다. 이후 처칠은 이전의 적대관계를 뛰어넘어 노동당도 연립정부에 참여시키며 거국 내각을 실현했다.

## 결코 항복하지 않는다

1940년 5월 13일, 처칠은 의회에서 신임 총리로서 연설을 했다. "나에게는 피와 수고와 눈물과 땀 이외에는 내놓을 것이 아무것도 없습니다… 대가가 어떤 것이든 우리는 바다에서 싸울 것입니다. 또한 우리는 상륙 지점에서 싸울 것입니다. 우리는 들판과 시가지에서도 싸울 것입니다. 구릉지에서도 싸울 것입니다. 우리는 결코 항복하지 않을 것입니다."

독일 폭격기가 영국의 도시들을 폐허로 만드는 동안, 처칠은 피폭지역을 시찰하고 훌륭한 연설과 트레이드마크인 V 사인으로 영국민의 사기를 높였다. 미국의 루스벨트 대통령과는 서신을 교환하며 밀접한 협력관계를 강화했다. 히틀러가 소련을 침공하자 처칠은 1941년 6월 22일 라디오 방송을 통해, 일찍이 공산주의에 대한 비난을 취소할 생각은 없지만, 소련에 대해 가능한 한 지원할 것이라고 약속했다.

1941년 12월 일본의 진주만 공격은 전쟁의 국면을 하루아침에 바꿔놓았다. 처칠은 루스벨트와 협력하여 먼저 독일을 격퇴한 후, 연합국 측의 모든 병력을 일본에 투입하기로 결정했다. 총리와 국방장관을 겸임하고 있던 처칠은 지나치게 많은 일을 하려고 한다는 비판을 받았다. 그는 전쟁 수행에 관한 정책뿐만 아니라 사소한 일에도 끊임없이 메모를 했다.

바쁜 일정 속에서도 루스벨트와 스탈린과의 회담을 계획하던 처칠은 1943년에 폐렴으로 두 차례 쓰러졌으나 1944년 1월 중순 회복되었다. 처칠은 발칸 반도, 특히 그리스에서 공산주의자가 정권을 장악하는 것을 저지하기 위해 영국의 무력개입을 요청했으나, 그의 경고는 무시되었다. 점차 소련은 세력을 확대하여 유럽을 가로지르며 점령지역을 넓혀, 훗날 처칠이 명명한 '철의 장막(iron curtain)'이 형성되기 시작했다.

포츠담에서 열린 연합국의 마지막 주요 회담에서 처칠은 최종 결정이 내려지기 전에 자리를 떠나야 했다. 1945년 7월의 총선거에서 보수당이 패했기 때문이었다. 영국 국민은 전쟁 지도자로서 처칠에게는 환호를 보냈지만, 그의 보수적인 국내 정책보다는 노동당의 개혁정책을 선택했던 것이다.

1946년 3월5일, 야당이 된 보수당 지도자 처칠은 미국 미주리 주 풀턴의 웨스트민스터 대학에서 명예 법학박사 학위를 수여받고 "유럽에는 '철의 장막'이 드리워졌다"고 연설했다. 그는 소련의 팽창주의에 대항하기 위한 영어 사용 국민들 간의 형제애적 단결을 호소했다. 그후 세계는 소련을 필두로 하는 공산진영과 미국을 필두로 하는 서방진영으로 오랫동안 냉전 상태로 갈라졌다.

**포츠담 회담**
1945년 7월 17일부터 8월 2일까지 독일 베를린 교외 포츠담에서 개최된 제2차세계대전중의 연합국 회담. 2차대전 종결에 따른 전후처리문제를 논의하기 위하여 미국의 트루먼 대통령, 영국의 처칠 총리, 소련의 스탈린 총리가 참석했다. 처칠은 회담중에 총선거에서 패배하는 바람에, 애틀리 총리로 교체되었다.

## "Never, never, never give up!"

총리직에서 물러난 처칠은 옥스퍼드 대학 졸업식에서 연설을 했다. 중절모를 쓰고 두꺼운 코트를 입은 처칠이 넓은 강당 안으로 걸어 들어왔다. 학생들의 환호를 받으며 전직 총리는 천천히 모자와 코트를 벗어 옆에 있는 옷걸이에 걸었다. 70대의 나이에 약간 지쳐 보였지만, 당당하고 꼿꼿하게 학생들 앞에 섰다. 청중들은 잠잠해졌다. 학생들은 이번이 그의 마지막 연설이 될지도 모른다는 것을 알고 있었다. 정치가, 작가, 종군기자, 화가, 그리고 한 여인의 남편이자 한 가정의 아버지로서의 풍부한 삶의 경험에서 우러나오는 교훈과 충고의 말이 무엇일까 귀기울였다. 30초 동안 청중들을 말없이 바라본 뒤 처칠은 천천히 입을 열었다.

"Never, never, never give up!"

학생들은 노 정치가의 다음 말을 기다렸다. 그러나 처칠은 청중들을 둘러보기만 했다. 그가 다시 말했다. 이번에는 좀 더 큰 소리로 우렁차게 외쳤다.

"Never, never, never give up!"

처칠은 잠시 숨을 가다듬었다. 옥스퍼드 대학 교수들의 눈은 눈물로 젖어 있었다. 나치가 런던을 공습하고 학교와 집, 성당을 폭격하던 그때가 생각났다. 그들은 만신창이가 된 국민들 앞에, 왼손에는 시가를 움켜쥐고 오른손으로 승리의 사인을 보이며 등장했던 처칠의 모습을 기억했다. 그날 그 오랜 침묵 속에서 가장 나이 어린 학생까지도 눈물을 흘렸다. 처칠은 천천히 모자와 코트를 집어들었다. 청중들이 깨닫기 전에 그는 몸을 돌려 무대에서 퇴장하기 시작했다. 박수갈채가 시작되었고 처칠이 사라지고 나서도 강당은 환호 소리로 가득 찼다.

처칠은 지도자의 화술(話術)이 어떻게 그를 돋보이게 하는지를 증명해 보였다. 그의 업적은 능숙한 연설 실력뿐만 아니라, 열심히 일하고 혁신적인 접근 방법을 통해 성취된 것이다. 처칠의 명연설은 천부적인 재능을 타고난 것이 아니라 연단에 오르기 직전까지 많은 노력을 한 결과였다.

## 역동적인 노년

1948년 처칠은 대역사서 《제2차 세계대전*The Second World War*》을 집필하기 시작하여 1953년 6권을 완간했다. 1950년 2월의 총선거에서 보수당이 패했으나, 1951년 10월 처칠이 이끄는 보수당이 정권을 되찾았고 처칠은 두 번째 총리자리에 올랐다.

엘리자베스 2세 여왕은 1953년의 대관식에 즈음하여 처칠에게 기사작위를 부여하고 기사에게 수여하는 최고훈장인 가터 훈장을 수여했다. 그해 처칠은 《제2차 세계대전》으로 노벨 문학상을 수상했다.

1953년 5월 스탈린 사후, 처칠은 서방측과 소련 지도자의 정상회담을 희망하여 이를 논의하기 위해 버뮤다 회담을 계획하던 중 뇌졸중으로 쓰러졌다. 회담은 취소되었다. 그러나 건강이 회복되어 1954년 6월 아이젠하워 대통령과 회담하기 위해 워싱턴을 방문했다. 11월 30일 그의 80회 생일에는 초당파적인 축하파티가 런던의 웨스트민스터 홀에서 거행되었다. 1955년 4월 5일, 처칠은 노령과 건강 때문에 총리직을 사임하고, 앤서니 이든이 후임 총리가 되었다. 총리직을 사임한 후에도 처칠은 계속해서 하원의원 자리를 유지하고 있었으며, 1955년 가을 선거에서 81세의 고령으로 당선되었다.

처칠은 1956년 82세에 또 하나의 주요 저서 《영어 사용 민족들의 역사*A History of the English-speaking Peoples*》를 저술하기 시작하여 1958년 4권을 완성했다. 많은 사람들이 그를 현존하는 최고의 영국인으로 생각했고 그에게는 숱한 명예가 주어졌다. 1963년 4월에는 미국 의회의 결의에 따라 명예 미국 시민이 되었다. 그러나 만년에 그는 우울증에 시달렸다. 1965년 1월 24일 91세로 런던에서 타계했을 때, 영국에서는 왕족 외에는 20세기 최초로 국장(國葬)으로 거행되었다. 세계의 모든 나라에서 조문사절을 보냈다. 블레넘 궁 인근 블래든의 교회에 묻히기 전까지 91년 동안 처칠은 군인, 기자, 역사가, 정치가, 작가, 화가로서 다양한 삶을 살았고, 절대 포기하지 않는 인생을 보여주었다.

# 미켈란젤로

*Michelangelo*
*Buonarroti*

89세(1475–1564)

"나더러 잠시 쉬라고?
죽으면 영원히 쉴 텐데…"

### "나는 아직 배우고 있다"

미켈란젤로는 일꾼들을 시켜 작업실에 대리석을 옮겨놓게 했다. 그리고는 곧바로 망치와 끌을 가지고 작업에 들어갔다. 외관을 다듬는 데만 꼬박 2년이 걸렸다. 다시 2년에 걸쳐 연마 작업이 이어졌다. 이렇게 긴 시간이 흐른 후에야 비로소 다비드 상(像)이 세상에 그 모습을 드러냈다.

당시 미켈란젤로는 조각가로서의 명성이 있던 터라, 그가 메디치 가로부터 거대 조각상을 의뢰받아 작업에 몰두하고 있다는 소식은 이미 이탈리아 전역에 퍼져 있었다.

1504년 9월 8일, 다비드 상을 처음 공개하던 날. 수많은 사람들이 시뇨리아 광장으로 몰려들었다. 마침내 조각상을 가린 천이 벗겨지고 사람들은 놀라움과 찬탄으로 입을 다물지 못했다. 높이

5.17미터의 조각상은 말로 형용할 수 없을 정도로 아름다웠다. 사람들은 박수를 쳤고 감탄했으며 현기증을 일으키는 여인들도 있었다. 그것으로 미켈란젤로는 당대 최고 조각가로서 입지를 굳혔다.

이탈리아가 '유럽의 정원', 토스카나가 '이탈리아의 정원'이라면 피렌체는 '토스카나의 꽃'이라고 불렀다. 그 피렌체의 시뇨리아 광장에서 다비드 상을 본 한 고관이 "이 같은 걸작을 어떻게 만들 수 있었느냐"고 감탄하여 묻자 미켈란젤로가 대답했다.

"나는 대리석 속에서 완벽하고 완전한 다비드를 보았습니다. 그래서 다비드가 아닌 부분만을 없앴을 뿐입니다."

그는 어떤 과업에 집중하고 나머지 불필요한 것을 제거하는 문제해결 방식을 알고 있었던 것이다.

미켈란젤로(Michelangelo Buonarroti, 1475-1564)는 돌이나 나무 등 조각의 소재 속에 갇혀 있는 이념이 예술가에 의해 꺼내어지기를 기다린다고 생각했다. 자연에 존재하는 소재에서 조잡하고 불필요한 요소를 없애는 것이 자신의 할 일이라고 여겼다. 조각의 소재인 돌 속에서 어떤 이미지를 발견하면 곧바로 그것을 밖으로 끌어내려 했다. 왜 그렇게 맹렬히 조각을 하는지 묻는 사람에게 미켈란젤로는 이렇게 대답했다.

"돌 속에 사람이 갇혀 있다. 빨리 꺼내 주지 않으면 그들은 질식해서 죽어 버린다."

미켈란젤로가 그의 걸작 중 하나인 시스티나 경당의 천장화를 그릴 때의 일이다. 600평방미터나 되는 대형 천장화를 완성하기 위해 그는 받침대 위에 누운 자세로 천장 구석에 인물 하나를 조심스럽게 그려 넣고 있었다. 그때 친구가 다가와서 물었다.

"여보게, 그렇게 구석진 곳에 잘 보이지도 않는 인물 하나를 그려 넣으려 그 고생을 한단 말인가? 그게 완벽하게 그려졌는지 누가 안단 말인가?"

미켈란젤로가 말했다.

"내가 알지."

미켈란젤로는 누가 보든 말든 자신의 할 일이 무엇인지 정확히 알고 있었고, 그것에 집중했다. 시스티나 경당의 천장화 작업이 반쯤 진행되었을 때 교황 율리오 2세(재위 1503-1513)가 그림이 언제쯤 끝나겠는지를 물었다. 미켈란젤로의 대답은 이랬다.

"교황 성하, 제가 그림을 완성하는 때입니다!"

미켈란젤로는 사람들에게 가장 위험한 일은, "목표를 너무 높게 잡아 달성하지 못하는 것이 아니라, 목표를 너무 낮게 잡아 거기에 도달하는 것"이라고 생각했다. 그는 진정 지칠 줄 모르는 노력가였다. 한밤중에도 종종 일어나 일을 했다. 그가 아끼는 작품인 손수레로 모래시계를 끌고 있는 노인의 조각상에는 이런 글귀가 새겨져 있었다. '나는 아직 배우고 있다.'

89세를 한 달 앞두고 거의 죽음에 임박한 미켈란젤로에게 의사가 휴식을 권유하자 그는 즉각 대꾸했다. "재촉하지 말아요. 나는 끌과 망치로 흰 대리석을 조각하는 일이 제일 좋아요. 죽으면 영원히 쉴 텐데."

## 불필요한 것을 제거하라

이탈리아 중부 토스카나 지방의 아펜니노 산맥에 1283미터의 라 베르나(La Verna) 산이 있다. 1213년, 라 베르나 산 일대를 소유하고 있던 오를란도 카타니 백작은 아시시의 성 프란체스코(St. Francis of Assisi, 1181-1226) 수도사의 설교에 감명을 받아, 자신 소유의 이 산 일대를 프란체스코 수도사에게 수도원 부지로 헌정했다. 수도원이 자리잡고 있는 곳은 예수님이 골고다 언덕에서 못 박힌 그날, 갑자기 지진이 일어나 암벽을 기괴한 모습으로 갈라놓았다는 전설이 전해오는 곳이다.

라 베르나에서 남쪽으로 한 시간 정도 내려오면 작은 마을 카프레세(Caprese)가 나온다. 현재도 주민이 2000명이 채 안 되는, 500년 전에는 아주 작은 마을이었다. 이 마을이 미켈란젤로의 전설이 남아 있는 고향이다. 카프레세 주민들에게 미켈란젤로의 탄생은 역사를 넘어 신화와 같았다. 미켈란젤로의 제자이자 그 자신도 당대에 이름을 날리던 화가 겸 건축가였던 조르지오 바사리(Giorgio Vasari, 1511-1574)는 후세에 르네상스 시대 미술가들의 전기 작가로 더 높은 평가를 받는 인물이다. 그는 자신의 책에서 미켈란젤로의 탄생 순간을 신화적으로 서술했다.

"하느님께서 보시니 토스카나에는 수많은 조각가, 화가, 건축가들이 고귀한 예술에 열정을 바치고 있었다. 그래서 하느님은 매우 뛰어난 한 영혼을 그곳으로 보내셨다. 1475년 3월 6일 일요일 저녁 8시경, 한 남자 아기를 태어나게 했다. 밤하늘에는 주피터, 머

다비드 상(像)

큐리, 그리고 비너스가 평화롭게 배치되어 있었다. 미켈란젤로의 아버지 로도비코는 그 별자리의 배치로 보아 자신의 아들이 장엄한 예술 작품을 만들 운명을 타고났음을 느꼈다. 그래서 아기의 이름을 '미카엘 대천사'라는 의미로 미켈란젤로라고 지었다. 대천사의 이름을 붙인 것은 장차 아기가 장성하여 모든 인간의 상상을 뛰어넘어 천상의 하느님과 같은 존재가 될 자질을 타고났음을 확신했다는 것이었다."

하지만 진실은 신화와는 달랐다. 미켈란젤로의 아버지 로도비코 부오나로티는 자식이 화가나 조각가가 되는 것을 바라지 않았다. 미켈란젤로라는 이름도 성령의 인도하심에 따라 선택된 것이라기보다는, 별의미 없이 당시의 관행대로 지은 이름이었다.

자신이 유서 깊은 카노사 백작 가문의 부오나로티 후손이라는 것을 항상 긍지로 삼고 있던 로도비코가 마지막으로 차지했던 관직은 1474년 아펜니노 산맥 중턱에 있는 카프레세와 키우시, 그리고 라 베르나를 포함하는 몇몇 마을의 포데스타(podesta)에 임명된 것이었다. 포데스타는 외부인이 한시적으로 맡는 시장직이었다. 가족이 여섯 달 동안 그곳에 머무르던 중에 미켈란젤로는 시청 공관에서 태어났다. 로도비코는 아들들에게 항상 말했다.

"우리는 뼈대 있는 집안이다. 우리 집안은 메디치, 스트로치, 토르나부오니 가문만큼이나 전통이 있다. 부오나로티라는 이름이 지난 삼백 년간 지속되어온 거야. 우리는 3세기 동안이나 피렌체에 세금을 내왔어."

## 최초의 조각가는 하느님

귀족의 후예로서 자부심은 높았지만 로도비코의 실제 생활은 늘 쪼들렸다. 로도비코는 카프레세에서의 임기를 마치고 피렌체로 돌아왔다. 그러나 미켈란젤로 생모의 건강이 나빠져 세티냐노(Settignano) 채석장 석공의 아내를 어린 미켈란젤로의 유모로 삼았다. 미켈란젤로는 어릴 때부터 각종 돌, 대리석, 조각품, 석수와 그 아이들과 어울렸고, 그런 분위기 속에서 자랐다. 석수의 아들은 여섯 살이면 망치와 끌을 들었고, 열 살이면 석수 일에 전념했다. 그들은 외부 사람과 혼인을 맺는 법도 없었고 이방인들에게 일자리를 주지도 않았다. 자신들만의 조직을 아르테(arte, guild, 직업조합)라 불렀고, 아르테에 들어가는 것만이 장인(master)이 되는 길이었다. 그들의 기능은 비법(mystery)으로만 전수되었다.

"적성에 맞지 않은 일을 하는 것은 바구니에 국물을 담는 것과 같다."

이 말은 그 당시의 직업 세계를 표현하는 말이었다. 미켈란젤로는 훗날 제자에게 말했다.

"내게 조금이라도 타고난 자질이 있다면 그것은 세티냐노의 맑은 공기, 그리고 유모로부터 젖뿐만 아니라 조각에 쓰이는 끌과 망치를 사용하는 법을 얻은 탓이네."

미켈란젤로의 유모는 결코 돌에게 화를 내거나 냉정하지 말고, 돌은 구상이지 추상이 아니라고 가르쳤다.

"돌마다 각각의 특성이 있어. 그걸 이해해야만 하는 거야. 조심

해서 다루지 않으면 깨지고 말아. 결코 돌이 제멋대로 깨지도록 내버려두면 안 된다. 돌은 기술과 사랑 앞에 자신을 바친단다."

미켈란젤로는 처음부터 돌의 신비로움에 매료되었다.

"돌이 네게 말을 할 거다. 망치로 치며 그 소리를 들어보렴."

미켈란젤로가 세티냐노를 떠나며 생각했다.

"최초의 조각가는 하느님이었어. 그분이 최초의 형상, 즉 사람을 만드셨지. 그리고 율법을 주시고자 했을 때 무슨 재료를 이용하셨지? 돌이야. 모세에게 석판에 새긴 십계명을 내리셨어. 사람들이 무엇을 새기려고 처음 썼던 도구들은 뭐였지? 그것도 돌이다."

## '노동'은 점잖은 시민들이 할 바가 아니다

로도비코는 여러 아들들을 그 당시 피렌체에서 경제적으로 세력을 떨치던 양모 및 비단조합에 일찌감치 도제로 보냈으나 장남 미켈란젤로만큼은 라틴어 문법학교 프란체스코 울비노 학교에 보냈다. 그러나 미켈란젤로가 몰래 지오토(Giotto di Bondone, 1266-1337)나 마사초(Masaccio, 1401-1428)의 작품을 모방해 그림을 그리는데 시간을 보내는 것을 알고는 아들을 흠씬 두들겨 팼다.

"이 녀석아, 그림이란 귀족의 후예에게는 맞지 않는 천한 것이야!"

로도비코는 미켈란젤로에게 '노동'은 점잖은 시민들이 할 바가 아니라고 일찍부터 가르쳤던 것이다.

당시 이탈리아에서 가장 성황을 이루던 화실은 도메니코 기를란다요(Domenico Ghirlandaio, 1449-1494)의 화실이었다. 한 제자가 미켈란젤로를 기를란다요에게 데리고 왔다.

"선생님, 얘가 말씀드렸던 미켈란젤로입니다."

"몇 살이냐?"

"열세 살입니다."

"열세 살치고는 작구나. 이 화실에서 힘든 일을 하기에는 너무 약해 보여."

"그림은 힘으로 그리는 게 아니라고 생각합니다."

기를란다요는 미켈란젤로의 당돌함에 흥미를 느꼈다.

"너를 열 살짜리 아이들과 같은 조건으로 제자로 삼겠다. 첫해 수업료는 6플로린이야."

"저는 한푼도 낼 수 없습니다. 그림 얘기를 꺼내면 아버지께 매를 맞았습니다."

집에 돌아온 미켈란젤로가 아버지에게 말했다.

"아버지, 저 방금 도메니코 기를란다요 선생님 화실에서 오는 길이에요. 선생님이 저를 제자로 삼으시겠대요."

자존심 강한 로도비코가 작은 소리로 타일렀다.

"미켈란젤로, 네가 비싼 학교에서 교육받고 조합에서 성공하여 자기 공장과 가게를 가질 수 있게끔 뒷바라지하려고 힘들게 학비를 대왔다. 피렌체의 부호들도 다 그렇게 시작했다. 심지어 메디치 가문도. 그런데 네가 환쟁이 짓으로 인생을 망쳐버리도록 내가 내버려둘 것 같으냐? 가문의 이름에 먹칠을 하게끔! 지난 300년간

부오나로티 집안에서 손으로 일해서 먹고 살 만큼 쇠락한 사람은 없었다."

"저도 누구보다 우리 집안에 자부심이 있어요. 그런데 왜 제가 기베르티의 문(門)이나 도나텔로의 조각품들이나 기를란다요의 프레스코화처럼 모든 피렌체 사람들이 자랑하는 예술을 배우면 안 된다는 건가요? 예술가에게는 더할 나위 없는 도시인 이 피렌체에서 말이에요."

"한번 논리적으로 따져보자. 많은 화가와 조각가들이 도제로 시작하여 장인으로 죽었다. 하지만 그들의 작품들은 그들의 사회적 신분을 한뼘도 높여주지 못했어."

아버지의 반대를 무릅쓰고 화실에 나간 첫날, 기를란다요가 미켈란젤로에게 말했다.

"만일 시골 여인이 바구니를 가져와서 꾸며달라고 하면 최선을 다해서 아름답게 해줘라. 그것은 화려하지 않은 일일지라도 어찌 보면 궁전 벽화만큼이나 중요한 거란다."

기를란다요의 화실에는 정식 수업이란 없었다. 교육의 기본 철학은 기를란다요의 책상에 박아놓은 널빤지에 쓰여 있었다. '가장 완벽한 지침은 자연이다. 어김없이 매일 무엇인가 그려라.'

## 메디치 가의 '위대한 자 로렌조'

이탈리아의 피렌체를 중심으로 일어난 르네상스는 레오나르도 다

빈치(Leonardo da Vinci, 1452–1519), 보티첼리(Botticelli, 1444–1510), 미켈란젤로 등 위대한 예술가들을 탄생시켰다. 당시 이탈리아는 30여 개의 도시국가들로 나뉘어 있었는데, 그중 피렌체, 밀라노, 베네치아, 나폴리, 교황령 등 5개 도시국가가 패권을 다투고 있었다. 다른 도시국가들이 군주제를 채택한 것과는 달리 피렌체는 공화제를 유지하고 있었다.

피렌체에서 공식적 직함이 없이 실권을 행사하며 '위대한 로렌조'(Lorenzo Il Magnifico, 1449–1492)로 불리었던 로렌조는 메디치가의 4대째 수장으로서, 한 가문의 중흥을 떠맡을 인물이었다. 그는 쾌활한 성격에 열정적이었고, 그 열정을 주변 사람들에게 전염시켰다.

1490년, 미켈란젤로가 15세가 되던 해. 로렌조가 기를란다요에게 자신이 새로 설립한 조각학교에 입학할 유망주들을 추천해달라고 하자, 기를란다요는 주저하지 않고 미켈란젤로를 그 중에 포함시켰다. 그 조각학교는 르네상스의 거장 도나텔로의 제자인 베르톨도(Bertoldo di Giovanni, 1420–91)가 책임을 맡고 있었다.

위대한 로렌조

미켈란젤로는 아버지 로도비

코에게 말했다.

“아버지 저 기를란다요 선생님의 화실을 떠나요.”

“그것 잘됐군. 제정신이 들 줄 알았지. 그래 양모조합에 가입해서….”

“그게 아니라 메디치 조각학교에 들어가요.”

“뭐 석수가 되겠다고?”

“석수가 아니라 조각가예요. 베르톨도 선생님은 생존해 있는 최후의 거장이에요.”

“불운은 끝이 없다더니… 조각가는 화가보다 더 낮은 계급 아니냐? 절대 허락 못 해.”

그후 미켈란젤로는 메디치 저택에 입주하여 함께 살게 되었다. ‘위대한 로렌조’의 배려였다. 메디치 가에 머물며 라틴어와 그리스어를 배웠고 또 시를 쓰는 법도 배웠다. 메디치 가 사람들과의 대화를 통해 조각가, 화가, 건축가, 시인으로서의 소양을 키워나갔다. 특히 세 살 아래인 로렌조의 딸 콘테시나(Contessina de Medici, 1478-1515)와 매우 가깝게 지냈다. 열여섯 살의 미켈란젤로와 열세 살의 콘테시나 사이에는 우정 이상의 것이 싹트는 것을 로렌조가 모를 리 없었다. 로렌조가 미켈란젤로를 불렀다.

“우리 콘테시나는 이제 ‘꼬마 아가씨’가 아니다. 우리 가문은 정략결혼을 하게 된다. 미켈란젤로, 이제 일하러 돌아가라.”

1492년 미켈란젤로가 17세 되던 해 로렌조가 사망했을 때 미켈란젤로는 그의 임종을 지켰다. 몇 년 후, 미켈란젤로는 이룰 수 없는 사랑 콘테시나를 마음에 품은 채 메디치 가를 떠났다. 그후로 미켈란젤로는 콘테시나가 어려움에 처할 때마다 그녀를 돌보아 주었다.

미켈란젤로는 돈도 많이 벌었고 심미안을 가진 사람이었지만, 집은 늘 춥고 컴컴하고 어질러져 있었다. 집주인도 당연히 집을 닮아갔다. 미켈란젤로는 목욕도 하지 않고 양말도 신지 않고 지냈으며, 염소 기름으로 만든 싸구려 양초를 쓰는 탓에 몸에서는 염소 기름 냄새가 진동했다. 미켈란젤로는 평생 혼자 살았을 뿐만 아니라 친구도 거의 없었다. 하지만 몇 안 되는 친구들만큼은 진심으로 사랑했다.

만년에 알게 된 비토리아 콜론나(Vitoria Colonna, 1492-1547)라는 이름의 여인이 그중 한 사람이었다. 조각가나 화가 그 이상이 되고 싶었던 미켈란젤로는 자기의 생각을 시로 써보려고 애를 썼다. 미켈란젤로가 쓴 시는 그가 남긴 그림이나 조각만큼 걸작은 아니었지만 비토리아는 미켈란젤로를 격려해 주었다. 비토리아를 사귀는 동안만큼은 미켈란젤로는 더없이 행복했고, 그 시기에 많은 걸작들을 만들어냈다. 〈최후의 만찬〉도 그즈음에 탄생했다. 1547년 2월 25일, 비토리아가 55세의 나이로 세상을 떠날 때 미켈란젤로는 그녀의 곁을 지키며 마지막 작별인사를 했다.

### "괜찮은 인생이었어"

미켈란젤로는 당대 최고의 명성과 함께 괴팍한 성격으로도 유명했다. 그는 아버지는 물론 고객, 동료 화가와 조각가들에 이르기까지 싸우지 않은 사람이 없을 정도였다. 걸핏하면 시비를 걸고 심술을 부려, 한번은 마사초의 벽화에 대해 논쟁하다가 선배에게 맞아서 코뼈가 부러지기도 했다.

미켈란젤로가 바티칸 시스티나 경당의 〈최후의 심판〉 마무리 작업을 하고 있을 때 교황의 의전관 비아지오 다 체세나(Biagio da Cesena)가 인물들을 나체로 그렸다는 이유로 미켈란젤로를 심하게 질책했다. 화가 난 미켈란젤로는 체세나의 모습을 발가벗은 채 당나귀 귀를 가진 우스꽝스런 모습으로 그림 한 귀퉁이에 그려 넣었다.

미켈란젤로는 지지를 받을 때보다 박해를 당한 때가 많았다. 저속한 귀족들, 비열한 성직자들, 각 계층의 탐욕스런 사람들은 그의 천재성을 이해하지 못한 채 그를 시기했다. 일부 고위 성직자가 〈최후의 심판〉의 한 부분을 거론하며 비난하자 미켈란젤로는 "고위 성직자는 나의 작품에 그런 혹평을 가하기보다 세상을 어지럽히는 무질서와 추잡함을 바로잡으려 애써야 한다"라고 일침을 놓았다.

시간은 반전(反轉)의 기회를 제공한다. 시간이 지나면 박해를 가했던 자와 박해를 당했던 자의 입장이 바뀌기 때문이다. 박해를 당했던 사람은 유명해지고 박해를 가했던 사람은 오명을 남기게

천지창조

된다. 심지어 다른 업적은 모두 잊혀지고 박해를 가했다는 사실만 남는 경우도 있다. 결국 미켈란젤로의 이름은 후대에 영원히 빛나는 이름으로 남게 되었다. 그가 이겼다.

르네상스 시대라고는 하지만 위생 상태가 나빴던 15-16세기에 미켈란젤로는 89세라는 긴 수명을 누렸다. 단순히 장수를 한 것이 아니라, 죽는 날까지 손에서 망치와 끌을 놓지 않았다. 간혹 제자들이 좀 쉬면서 일을 하자고 하면 "저승에 가서 쉬어라. 그곳에서는 할 일이 없을 테니까"라고 대꾸했다.

미켈란젤로에게 있어서 인생이란 '일'과 동의어였다. 당시 이탈리아의 가난한 사람들은 "인생은 하루 하루 살아내는 것"이라고 말했고, 부유한 사람들은 "인생은 즐기도록 되어 있는 것"이라고 말했다. 그러나 미켈란젤로는 "인생은 일하도록 되어 있는 것"이라고

했다. 혹은 "인생은 고통 받도록 되어 있는 것"이라고도 했다.

어느 겨울 미켈란젤로를 찾아온 한 방문객이 집안이 추운 것을 보고 물었다. "여기는 몹시 춥군요. 무엇으로 추위를 피했나요?"

미켈란젤로가 대답했다. "분노. 그것은 내가 아는 한 가장 좋은 연료지요. 결코 다 타버리지 않으니까."

자신의 운명을 통제할 수 없다면 그는 어째서 태어났을까? 시스티나 천장화 속에서 아담에게 막 생명의 불꽃을 건네주려는 하느님의 존재는 인간에게 자유가 따르리라는 약속을 담고 있다. 미켈란젤로는 인생의 고난과 비극을 경험했고 그 헛됨과 허망함을 아는 존재들을 조각하기 시작했다.

화가들이 돈벌이를 위해 전시회를 자주 여는 현실에 대해 어떻게 생각하느냐는 질문에 미켈란젤로가 대답했다. "부자가 되기 위해 그토록 열심히 사는 한, 그는 항상 가난한 사람으로 남아 있을 것이다."

성 베드로 성당에서 〈예수를 안고 있는 슬픔의 성모〉 일명 '피에타'를 제작할 때 담당 추기경이 마리아의 모습이 너무 젊다고 비판하자 미켈란젤로가 말했다. "죄 있는 인간은 나이를 먹지만 원죄가 없는 성모는 보통 사람처럼 나이를 먹지는 않습니다."

숨을 거둔 그리스도가 성모 마리아의 무릎에 안겨 있는 애절한 모습을 표현한 피에타는 로마 성 베드로 대성당 안 오른쪽 첫번째 기도실을 장식하고 있다. 이 피에타는, 작품에 서명을 하지 않기로 유명한 미켈란젤로가 자신의 이름을 새겨 넣은 유일한 작품이다.

피에타를 제작할 당시 스물두 살의 젊은이였던 미켈란젤로는 어느 여행객들이 자신의 작품을 두고 롬바르디아 출신 삼류 예술가의 작품이라고 말하는 것을 듣게 되었다. 화가 난 미켈란젤로는 그날 밤 성당 안으로 몰래 들어가 마리아의 허리에 비스듬히 감겨 있는 허리띠 위에 글귀를 새겨 넣었다. '피렌체 사람, 미켈란젤로 부오나로티 이것을 만들다.'

미켈란젤로는 조각 작품으로 〈다비드〉, 〈피에타〉, 그림으로 〈천지창조〉, 〈최후의 심판〉, 건축으로 캄피돌리오, 성베드로 대성당의 돔 등 인류 역사상 불후의 명작들을 남기고 1546년 2월 18일, 89세로 눈을 감았다. 죽음을 눈앞에 둔 그가 중얼거렸다.

"괜찮은 인생이었어. 하느님은 나를 버리려고 만드신 것이 아니었어."

로마에서 숨을 거둔 미켈란젤로의 유해는 조용히 피렌체로 옮겨졌다. 미켈란젤로는 지금 피렌체의 산타 크로체 성당에서, 전설과 함께 잠들어 있다.

# 파블로 피카소

*Pablo Ruiz Picasso*

92세(1881–1973)

# 19세기 미술의 마침표,
# 20세기 최고의 예술가

## 나는 찾지 않는다. 다만 발견할 뿐이다

그는 40세에 거부가 되었고, 65세 이후에는 억만장자가 되었지만, 기업가는 아니다. 그는 수많은 여인들과의 사랑과 스캔들로 그의 삶은 뜨거웠다. 그는 일곱 명의 여자와 살았다. 그 중 두 여자는 그를 잊지 못해 자살했고, 두 여자는 지나친 질투와 그의 대한 집착으로 정신이상이 되었고, 한 여자는 젊은 나이에 요절했다. 한 여자만이 간신히 그의 영향력에서 벗어난 듯했지만 그녀 역시 그에게서 완전히 벗어나지는 못했다. 그러나 그와 함께 살았던 여자의 고백은 한결같았다. "그 남자와의 시절이 가장 행복했습니다."

그는 바로 92년간 세상에 살다 간 파블로 피카소(Pablo Ruiz Picasso, 1881-1973)이다.

피카소는 위대한 화가일 뿐 아니라 20세기 최고 조각가 중 한 명

아비뇽의 처녀들

이었다. 피카소를 한마디로 정의내릴 수 없다. "모든 예술에서 새롭게 변형되어 낯설게 보이는 것은 모두 피카소적이다"라고 할 정도로 피카소는 전무후무한 존재였다. 피카소는 단순한 영감만으로 피카소가 된 것이 아니다. 피카소는 〈아비뇽의 처녀들〉을 그릴 때 500번 넘게 습작을 그렸고, 이렇게 말했다. "성공은 위험하다. 성공하는 순간, 다른 사람을 모방하기보다는 자기 모방이 시작된다. 그리고 마침내 고갈 상태에 이르게 된다."

피카소는 평상시에 사물을 세밀히 관찰하고, 이를 노트에 꼼꼼히 기록하는 오랜 습관을 통해 창조의 대가가 되었다. 178권의 노트를 남긴 피카소는 이런 말들을 남겼다.

"나는 찾지 않는다. 다만 발견할 뿐이다."

"무엇을 만들지 명확하게 알고 있다면 도대체 무엇 때문에 그것을 해야 한단 말인가? 이미 알고 있는 것은 전혀 흥미롭지 않다."

"작업은 나에게 휴식이다. 아무것도 하지 않거나 손님을 맞는 것은 나를 피곤하게 한다."

피카소의 작품은 약 30만 점에 달하는데, 그가 죽었을 때 남긴 작품만 거의 5만 점 정도였다. 그림 1885점, 조각 1228점, 도자기 2280점, 동판화 1만 8095점, 석판화 6112점, 리놀륨 판화 3181점, 149개의 드로잉 노트, 스케치 4659점을 유산으로 남겼다.

피카소는 "다른 사람들이 글로 자서전을 쓸 때 나는 그림으로 자서전을 쓴다. 나의 작품은 일종의 일기를 쓰는 방식이다. 완성을 했든 안 했든 그림은 나의 일기장의 한 페이지이다"라고 했다.

## 피카소가 제일 먼저 한 말은 '연필'

피카소는 1881년 10월 25일 지중해에 면한 스페인의 해변 도시 말라가(Malaga)에서 돈 호세 루이즈 블라스코(Don Jose Ruizy Blasco, 1838-1913)와 어머니 마리아 피카소(Maria Picasso) 사이에 장남으로 태어났다.

아버지는 화가, 예술학교 교사, 지방 박물관의 큐레이터로 일했는데 그의 먼 조상은 스페인 하급 귀족이었다. 그의 어머니에 의하면 어린 피카소가 말을 하기 시작하면서 제일 먼저 한 말은 "피츠, 피츠(piz, piz)"였는데, 그것은 스페인어로 연필이라는 단어 라피츠(lapiz)의 줄임말이었다. 마치 모차르트가 세살 때 손에 먹물을 묻혀 오선지에 악보를 그렸다는 것과 비슷한 일화이다.

피카소의 아버지는 보수적인 미술교사로, 회화의 첫걸음은 위대한 화가의 작품을 모사(模寫)하고 또 인간의 몸을 데생해야 한다는 신념을 가지고 있었다. 그는 피카소가 일곱 살 되던 해부터 드로잉과 유화를 가르쳤고 아들은 곧 좋은 제자가 되었다.

1891년 피카소의 아버지가 라 크루나(La Coruna) 예술학교의 교사로 부임했을 때 온 가족이 그곳에서 4년간 살았고, 1895년에는 바로셀로나의 예술학교로 전근을 가게 되면서 가족도 모두 그곳으로 이사 갔다. 피카소는 바로셀로나를 자신의 고향이라 생각할 정도로 이 도시를 좋아했다. 아버지는 열세 살 된 피카소의 그림 실력이 이미 자신을 능가하고 있음을 깨닫자 자신은 더 이상 그림 그리는 것을 포기하고 자식 교육에 전념했다.

아버지는 피카소가 열네 살이 되었을 때 미술대학에 특별 전형으로 조기 입학할 수 있도록 했다. 입학시험에서, 피카소는 어른들이 한달 걸려야 그릴 수 있는 그림을 단 하루 만에 그려내어 심사위원들을 경악케 했다. 열여섯 살에 피카소는 스페인의 모든 미술 콩쿠르를 석권했다. 피카소는 어느새 예술계의 중심인물이 되었고 괴팍한 성격의 소유자로 소문이 났다. 피카소에 대한 평가는

극과 극이어서, 그를 좋아하는 사람은 그에게 열광했지만 그를 싫어하는 사람은 그를 혐오했다.

피카소의 열정은 어디서 온 것인가? 피카소의 열정은 그의 그림에서 강조하듯이 모성애와 여성미의 절대 찬양, 그리고 인간애에서 나왔다. 피카소는 고독한 예술가가 아니었다. 그는 남자든 여자든 동반자 없이는 잠시도 살 수 없는 인간 지상주의자였다. 피카소는 늘 자신의 예술을 지지하는 동반자를 필요로 했다.

1900년, 스페인에서는 더 이상 배울 것이 없었던 19세의 피카소는 전 세계 천재 예술가들의 집합소인 파리의 몽마르트르로 떠났다. 그는 파리의 박물관을 헤집고 다니며 이전 화가들의 그림을 감상했고, 당시 야만적이라고 거들떠보지 않던 페니키아, 이집트, 아프리카 예술에 흠뻑 매료되었다. 이 시기가 피카소의 그림 중 가장 알려지고 사랑 받는, 파리의 뒷골목의 삶을 차가운 느낌의 청색 물감으로 표현한 청색시대(1901-1904)이다.

## 피카소에게 열정을 주었던 여인들

1901년 20세의 피카소는 동갑내기 페르낭드 올리비에(Fernande Olivier, 1881-1966, 동거 1904-1912)를 만났다. 그녀는 야성적인 여자로 장밋빛 시대(1904-1906)와 '분석적 큐비즘'이 확립되는 시기의 연인이다. 피카소는 회화나 데생뿐만 아니라 조각, 판화에서도 명성을 얻기 시작했다. 당시 인상주의나 사실주의에 염증을 내고 있었던 사람들은 원시적 생명의 충만함을 표현하는 피카소의 미술에서 새로운 탈출구를 찾았다.

25세의 패기만만한 피카소는 흑인 미술이 가지고 있는 원초적인 생명력에 매료되었다. 아프리카 사람들의 역동성, 대지의 순결성, 춤이나 탈이나 조각 속의 원시적이고 원색적이고 직선적 표현기법에 깊은 감명을 받았다.

피카소는 지극히 단순하면서도 기하학적 흑인 미술의 순수한 감각에 몰입되었다. 긴 장방형 눈, 원주 코의 구멍 등 새로운 조형세계에 몰입했고 그의 유명한 혁명 큐비즘 미술의 길을 여는 계기가 되었다.

시각 미술, 영화, 건축을 포함 모든 예술 장르에 큰 영향을 준 큐비즘의 선각자 피카소는 결국 이런 과정과 모험을 통해서 그에게 전설적 명성을 안겨준 작품 〈아비뇽의 처녀들〉(1907)을 탄생시켰다. 몇 달간 수백 장의 데생과 습작 끝에 걸작을 내놓은 것은 그의 나이 26세 때였다.

그러나 친구들 사이에 큰 기대감과 관심을 집중시켰던 이 그림을 처음 본 그들은 분노와 경악으로 말을 잃었다. 그를 전적으로 지지했던 친구들 사이에서도 "이게 그림인가?"할 정도였다. 마티스마저 격분했고, 브라크도 이건 "우리에게 석유를 마시게 하고 밧줄을 먹으라는 것과 같다"라고 혹평했다. 그러나 〈아비뇽의 처녀들〉은 지금까지의 모든 지구상의 모든 회화 세계를 붕괴시킨 미술사의 대혁명이었다.

1911년 '분석적 큐비즘'을 넘어 '종합적 큐비즘'이 무르익는 시기, 30세의 피카소는 청순가련형 여자 에바(Eva Gouel, 1885-1915, 동거 1912-1915)를 만났다. 그녀를 모델로 〈옷을 벗은 에바〉(1912)를 그렸다. 그러나 에바는 서른 살 젊은 나이에 결핵으로 죽었다. 에바가 죽어가는 동안에도 피카소는 파리 태생의 27세의 가비 레스피나스라는 또 다른 애인을 만나고 있었다.

에바가 죽은 지 2년 후, 36세의 피카소는 장 콕토가 쓴 발레극 〈발레 퍼레이드*Ballet Parade*〉의 무대 장치를 맡았다. 초현실적 현대 전위극인 이 발레극은, 파리에서 바르셀로나까지 공연되었으나 흥행에선 완전히 실패했다. 순회공연에 계속 동행했던 피카소는 60여 명의 발레리나 중 가장 아름다운 25세의 올가(Olga Khokhlova, 1891-1955, 동거 1917-1935)에게 푹 빠졌다.

1918년 7월 12일, 36세의 피카소는 첫아들 파울로를 낳아준 올가와 파리의 한 교회에서 결혼식을 올렸다. 올가는 귀족형 여자로, 피카소는 그녀의 영향을 받아 상류사회의 사실주의 풍에 심취했다. 피카소는 그녀를 모델로 〈안락의자에 앉은 올가의 초상〉(1917)을 그렸다. 동료 화가들은 큐비즘을 배반했다고 피카소를 비난했다.

피카소가 마흔을 넘길 즈음, 그의 그림들은 파격적인 가격으로 팔려나갔다. 피카소의 그림은 부르는 게 값이었고, 그는 점차 거부가 되어갔다. 그러나 많은 돈이 화가로서의 왕성한 창작력을 위축시키지는 못했다. 부자가 되었다 해도 창작에 조금도 게을리 하지 않았다. 사치스런 생활은 계속되었고 올가의 예민한 기질과 지나친 상류사회 생활에 피카소는 점차 답답함을 느끼기 시작했다. 게다가 1924년부터 불기 시작한 초현실주의 문학 운동이 피카소의 안정된 생활에 균열이 가게 만들었고 결국 두 사람은 이혼했다.

1927년 초현실주의에 영향을 받았던 시기, 46세의 피카소는 18세의 마리 테레즈(Marie-Therese Walter, 1909-1977, 동거 1927-1936)를 만난다. 마리 테레즈는 미술에는 문외한이었고 수영, 등산 등으로 단련된 건강미 넘치는 발랄한 소녀였다. 나중에 마리 테레즈는 이렇게 회고했다. "지하철에서 만난 피카소는 다짜고짜 내 팔을 잡고, '나는 피카소요. 당신과 나는 함께 훌륭한 일들을 할 수 있을 것입니다'라고 말했어요."

마리 테레즈는 피카소의 끈질긴 프러포즈를 결국 받아들일 수밖에 없었다. "나는 여섯 달이나 버텼지요. 하지만 어떻게 피카소를 거절합니까?"

피카소는 테레즈가 부모의 동의가 필요 없는 18세 생일날 그녀의 허락을 받아내는 데 성공했다. 마리 테레즈는 피카소에게 연인일 뿐만 아니라 최고의 모델이기도 했다. 〈팔꿈치를 기댄 마리 테레즈〉(1939) 등 피카소는 그녀를 주제로 많은 그림을 그렸다.

1936년 유럽에서 파시즘 광기가 난무하던 시절, 마리 테레즈는 피카소의 딸 마리아 드 콘셉시온(Maria de la Consepcion)을 낳았다. 그해 55세의 피카소는 또 다른 여자 도라 마르(Dora Maar,

1907-1997, 동거 1936-1943)를 사귀고 있었다. 테레즈의 아름다운 육체만으로는 피카소를 잡아둘 수는 없었다.

피카소를 사이에 두고 두 여자의 싸움은 격렬해졌다. 훗날 테레즈는 평생 흠모하던 피카소가 죽자, 저세상에서도 그를 보살펴야 한다고 자살했다. 또한 도라 마르는 피카소와의 이별로 인해 정신착란을 일으켜 정신병원에서 치료받는 불행을 겪게 되었다.

도라 마르는 〈게르니카〉(1937)를 그리는데 많은 영감을 주었다. 그녀를 모델로 한 그림으로 〈우는 여자〉(1937)가 있다.

1943년 62세의 피카소는 여섯 번째 여자 프랑수아즈 질로(Francoise Gilot, 1921- , 동거 1943-1953)를 만났다. 프랑수아즈는 법대를 나온 인텔리 여성으로, 피카소의 과거 애인들과 달리 부유한 집안에서 자란 자유분방한 여성이었다.

프랑수아즈는 파리가 독일군에 점령되었을 때 피카소를 처음 알게 되었다. 법과 대학을 나온 그녀는 국제 변호사가 되려고 했으나 전쟁 상황이라 여의치 않아 포기하고 미술 석사 과정을 밟고 있었다. 레스토랑에서 우연히 피카소를 만난 프랑수아즈는 피카소의 명성에 끌려 곧 그와 만나기 시작했다. 그녀는 부모의 완강한 반대에도 불구하고 1944년 집을 나와 피카소의 집에서 함께 살았다.

프랑수아즈는 피카소에 대해서 이렇게 고백했다. "나는 아버지나 남자 친구와는 대화가 되지 않는데 나이가 세 배나 많은 피카소와 말이 잘 통하는 것이 믿어지지 않아요." 피카소의 첫아들 파울로와 동갑인 프랑수아즈는 65세의 피카소에게 아들 클로드, 딸 팔

피카소와 프랑수아즈 질로, 아들 클로드, 딸 팔로마

로마를 낳아 주었다. 그녀를 모델로 한 그림으로는 〈꽃 여인〉(1943)이 있다.

그 즈음 피카소는 프랑수아즈도 잘 아는 여기자 주느비에브(Genevieve Laporte, 1927- , 동거 1951-1953)와도 연인 관계를 맺고 있었다. 이 사실을 안 프랑수아즈는 미련 없이 피카소를 떠났다. 피카소의 인생에서 그를 버린 여자는 프랑수아즈가 유일했다. 법

피카소와 아들 클로드

학도답게 주도면밀했던 프랑수아즈 질로는 후에 소송을 통해 자신의 아들과 딸을 피카소의 자식으로 입적시켜 피카소의 많은 유산을 물려받을 수 있게 했다.

1952년 71세의 피카소는 일곱 번째 여자를 만났다. 자클린(Jacqueline Roque, 1926-1986, 동거 1952-1973)은 피카소보다 45년 연하의 순종적인 여성이었다. 도자기 공장에서 일하던 젊은 이혼녀였던 자클린은 피카소가 말년의 생애에 오직 작품에만 전념하도록 헌신적으로 뒷바라지했다.

자클린은 피카소를 필사적으로 유혹해서 결혼에 성공했다. 1961년 80세의 피카소는 마지막 여자가 될 자클린과 비밀 결혼을 올려, 그날 신문을 본 많은 사람들을 놀라게 했다. 자클린은 피카소를 지극히 행복하게 해준 여자였다. 이 시기에 피카소는 최고의 명성을 누렸고 도자기 예술과 고전 작가의 재해석에 심취했다. 피카소는 그녀를 모델로 그림 〈옷을 벗고 앉은 여자〉(1959)을 그렸다.

## 옴므 파탈

피카소는 1956년(75세) 독일 뮌헨에서 피카소 회고전, 1962년(81세) 미국 뉴욕에서 피카소 80세 기념 회고전, 1964년(83세) 일본 도쿄에서 피카소전, 1970년(89세) 프랑스 아비뇽 교황청 고딕식 성당에서 피카소 전, 1971년(90세) 프랑스 파리에서 피카소 탄생 90년 회고전을 열었다. 만년의 피카소는 죽음과 싸우는 자신의 모습까지도 자화상에 솔직하게 담았다. 피카소는 이렇게 말했다. "렘브란트 당신은 죽음을 냉소했지만, 난 죽음을 뚫어지게 쳐다보고 싶소."

1973년 4월 8일, 피카소는 92세의 나이로 남 프랑스 별장에서 사망했다. 봄눈 내리는 4월 10일 생 빅투아르 산기슭 보방 오그리 산비탈에 묻혔다.

피카소는 19세기 미술에 마침표를 찍었고, 동시에 20세기 최고의 예술가였다. 그는 19세기 사실주의적 내지 인상주의적 평면 회화를 해체시키고 20세기 새로운 입체파 회화를 창시했다. 신 미술의 창조와 지각 변동을 가져온 엄청난 혁명이었다. 그리고 그는 이전까지 금기시된 환희와 광기를 회화의 주제로 삼았고, 인간의 성(性)의 신비를 그림으로 풀었다. 그의 그림은 기존의 모든 고정관념을 깨는 행위였다. 그의 작품은 모든 주제를 망라했고 또한 거의 모든 양식을 시험하면서 현대 전위미술의 전범(典範)이 되었다. 그 결과 변덕스럽고 일관성 없다는 비판을 면치 못했다. 그는 다음 같은 말로 자신의 작품을 옹호했다.

"하느님도 사실은 하나의 예술가일 뿐이다. 그분은 기존의 어떤 스타일도 갖고 있지 않다. 그분은 여러 가지를 시도했다. 그는 기린과 코끼리와 고양이를 창조하셨다. 나 역시 기본적으로 우리 시대의 문화적 불만과 태도에 호흡을 맞추고 있는 독창적 예술가다."

마지막 여인 자클린은 피카소가 죽은 후, 그가 세상에 없는 현실을 못견뎌 해서, 창문을 검은 커튼으로 가린 채 한번도 열지 않았다. 식탁에 피카소 자리를 마련하고 그를 잊지 못해 노래를 들려주거나 기이한 의식을 치르곤 했다. 1986년 자클린은 피카소가 죽은 지 13년째, 피카소를 만난지 50년 되는 날, 딸에게 다음 같은 말을 남기고 권총으로 자살했다. "사랑하는 딸 마야! 너를 영원히 사랑하지만 또 하나의 사랑을 찾아 떠난단다. 그 사람과 나는 세상에서 단 하나의 사랑이었다. 저세상에 그가 혼자 있을 것을 생각하면 단 하루도 견딜 수 없는 고통이란다. 그는 내가 있어야 편하게 잠잘 수 있어. 그는 영원히 내 곁에 있을 거야."

피카소의 여인들은 모두 비참한 최후를 맞았다. 피카소는 어떻게 그 많은 여자들을 사로잡을 수 있었는가? 흔히 우리는 남자를 파멸로 이끈 여성을 팜므 파탈(femme fatale)이라고 말한다. 반대로 피카소는 여성을 파멸로 이끌고 그녀들을 자신의 예술의 원동력으로 삼은 옴므 파탈(homme fatale)이 아니었을까.

# 조지아 오키프

*Georgia O'Keefee*

99세(1887–1986)

사물을 다른 차원으로
보는 법을 가르쳐 준

## 햇살이 춤추는 땅, 산타페

1917년 한 여류 화가는 기차로 뉴멕시코를 지나다가 창밖으로 보이는 사막 풍경에 매료되었다. 사막의 단순한 아름다움을 잊지 못한 그녀는 1929년부터 해마다 뉴멕시코 산타페(Santa Fe)에서 여름을 보내기 시작했다. 1934년부터 그곳의 고스트 랜치(Ghost Ranch)의 풍경을 화폭에 즐겨 담았고, 1949년부터 산타페에 가까운 애비큐(Abiquiu)에 아예 정착했다. 1970년 83세의 고령에 뉴욕 휘트니 미술관에서 회고전을 개최했다. 1970년대 후반, 시력이 다 할 때까지 그림을 그렸고, 1986년 99세로 숨을 거두었다. 그 여류 화가는 조지아 오키프(Georgia O'Keeffe, 1887-1986)이다.

산타페는 스페인의 식민지였다가 1821년 멕시코 영토로, 1848년 미국 영토로, 그리고 1912년 뉴멕시코주로 미연방에 편입되었다. 평탄치 않은 굴곡진 세월을 겪어온 만큼 뉴멕시코 주는 미국 땅임에도 전혀 미국 같지 않은 모습을 하고 있다. 그 중에서도 산타페는 자연과 생명의 땅으로 미국 현대 퓨전 문화의 진열장이다. 그리고 예술가들의 도시이다.

산타페는 록키산맥 남쪽 끝 해발 2135미터의 고원지대에 있는 작은 마을이다. 이 일대에서 살아온 푸에블로(Pueblo) 인디언들은 이곳을 '햇살이 춤추는 땅'이라 불렀다. 강렬한 햇살이 붉은빛 대지에 내려쬔다. 수많은 예술가를 사로잡은 산타페에 가본 사람마다 "햇빛의 질이 다르다"고 감탄을 내뱉지 않을 수 없게 한다. 어도비(Adobe)라고 하는 인디언 특유의 흙집들이 파란 하늘 아래 온 도시를 장식하고 있다. 푸에블로 원주민의 영향을 받은 스페인풍 건물로 인해 미국 속의 스페인과 멕시코를 동시에 느끼게 한다.

## 사물을 보는 차원

1492년 8월 3일 스페인 남단 작은 항구도시 팔로스(Palos)를 떠난 콜럼버스(Christopher Columbus, 1451-1506)는 그해 10월 12일, 인도(캐리비어 해의 산살바도르를 인도로 착각했다)에 도착했다. 스페인은 곧 멕시코 지역을 식민지로 삼고는 이를 뉴스페인(New Spain)이라고 불렀다. 1538년 스페인의 탐험가 프란치스코 코로나도(Francisco Vazquez de Coronado, 1510-1554)가 뉴스페인의 북서쪽 뉴갈리시아(New Galicia) 지역 총독으로 임명되었다.

1540년 2월 23일 코로나도는 후안 드 파딜라(Juan de Padilla, 1500-1542)를 포함하여 프란체스코회 소속 사제들, 335명의 스페인 사람들, 1300여 명의 원주민 등 대규모 원정대를 이끌고 황금을 찾아 북쪽으로, 지금의 뉴멕시코와 캔사스 지역으로 탐험을 떠났다. 1542년에 끝난 이 탐험은 코로나도에게 성공을 안겨주지 못했고 파딜라 신부 역시 미국 땅에서 순교한 최초의 신부라는 명성만을 남겼을 뿐이었다.

미국 역사에서 1620년 11월 11일은 중요한 날로 기록된다. 메이플라워 호를 타고 온 102명의 **필그림 파더스**(pilgrim fathers)가 케이프 코드 연안에 도달한 날이기 때문이다. 그러나 코로나도의 원정대는 그보다 80년 전에 미국, 즉 푸에블로 인디언의 땅에 도착했다.

콜럼버스는 신대륙을 황금이 넘치는 인도로 보았고, 필그림 파더스는 신대륙을 종교의 자유를 실천할 수 있는 곳으로 보았다. 코로나도는 뉴멕시코를 황금이 묻힌 곳으로 보았고, 오키프는 뉴멕시코 사막을 그림의 소재로 보았다.

로버트 루트번스타인(Robert Root-Bernstein)은 《생각의 탄생 *Spark of Genius*》에서 창조적 발상의 도구로 활용할 수 있는 13가지 방법을 제시했다. 그것은 관찰, 형상화, 추상, 패턴 인식, 패턴 형성, 유추, 몸으로 생각하기, 감정이

■ ■ ■

**필그림 파더스(pilgrim fathers)**
1620년 메이플라워호를 타고 북아메리카로 건너간 최초의 뉴잉글랜드 이민. 순례시조(巡禮始祖)로 번역된다. 모두 102명으로, 그 가운데 35명은 종교적 박해를 피해 네덜란드로 갔던 분리파 청교도들이었다. 분리파들은 종교의 자유와 함께 풍요한 생활을 찾아 신대륙으로 이주할 것을 결심, 비용을 마련하기 위해 런던주식회사와 협상하였다. 메이플라워호에 승선한 사람 중 2/3는 회사이익을 지키기 위해 고용된 사람들이었다. 1620년 9월 16일 플리머스를 출항, 12월 21일 오늘날의 매사추세츠주 연안, 케이프 코드에 상륙하여 출발지 이름을 따서 그곳을 플리머스라고 이름지었다. 첫 겨울에 절반 이상 죽었으나 의지를 굽히지 않고 식민지를 개척하였다.

입, 차원적 사고, 모형 만들기, 놀이, 변형, 통합이다. 루트번스타인은 '차원적 사고'를 설명하면서 조지아 오키프가 화가로서 성공한 것은 꽃을 실물 그대로 혹은 비례적으로 그리지 않고 실물보다 훨씬 더 크게 그렸기 때문에, 즉 차원이 다르게 그렸기 때문이라고 설명했다. 말하자면 관찰이란 눈에 보이는 것을 표현하는 것이 아니라, 관찰자가 보는 그 무엇을 다른 사람들도 볼 수 있도록 하는 것이다.

오키프는 다음과 같이 말했다. "내가 어떤 꽃을 보고 실제보다 훨씬 작게 그리면 아무도 쳐다보지도 않아요. 그래서 그 꽃을 위로 치솟는 거대한 빌딩처럼 그리려고 작심했어요. 그러면 사람들은 놀라워할 것이고, 내가 그린 꽃을 바라보지 않을 수 없을 거라고 생각했지요. 그랬더니 정말 나의 그림을 보더군요."

## 오키프와 스티글리츠

조지아 오키프는 1887년 11월 15일, 위스콘신의 선 프레이리(Sun Prairie)에서 대규모 농장을 경영하는 가정의 일곱 형제 중 둘째이자 장녀로 태어났다. 그녀는 긴 생애 동안 도시보다 거대한 평야와 열린 공간을 좋아했다. 1904년 17세부터 시카고 미술학교에서, 1907년 뉴욕 아트 스튜던츠 리그에서 공부했고, 잠시 동안 상업미술 활동을 하기도 했다. 그녀는 학교를 졸업한 뒤 1913년부터 1918년까지 텍사스 등의 학교와 대학에서 미술을 가르쳤다. 이때

까지 그녀의 인생은 미술을 공부한 대부분의 여성들과 크게 다르지 않았다.

1916년 오키프의 친구 아니타 폴리처(Anita Pollitzer)는 뉴욕 5번가 291번지에서 '갤러리 291'을 운영하는 알프레드 스티글리츠(Alfred Stieglitz, 1864-1946)에게 오키프의 작품들을 몰래 보여주었다. 스티글리츠는 사진의 대상을 현실적 객관적으로 포착하는 **스트레이트 포토**(Straight Photography)와 **사진분리파 운동**을 전개하며 "사진은 예술을 모방할 게 아니라 당당한 예술로서 존재해야 한다"고 주장한 사진계의 거장이었다. 그는 '갤러리 291'을 통해 피카소, 폴 세잔 등 유럽 거장들의 작품을 소개하기도 했다.

■ ■ ■

**스트레이트 포토(Straight Photography)**

1880년대에는 회화주의 사진만이 인정을 받았고, 이후 헨리 에머슨(Peter Henry Emerson)에 의해서 자연주의 사진 운동이 펼쳐졌다. 사진을 보았을때 매우 자연스러운 느낌을 받게 하자는 것이다.

기록사진과 예술사진이 완전히 다른 길을 향하고 있을 때, 스티글리츠는 양갈래 길을 하나로 합치는 즉, 기록사진과 예술사진을 하나로 통합하는 스트레이트 포토(straight photography)를 주장하여 주목을 받았다. '직접적인 사진' 또는 '순수사진'이라고도 불린 스트레이트 포토는 당시 예술로 인정되던 회화적 수법을 부정하고 사진의 독자적인 기술인 광학적 속성과 기계적 기록성을 최대한 사용하여 있는 그대로 순수한 기계적 기록성을 되찾자는 것이었다.

**사진분리파 운동**

1896년 스티글리츠는 '아마추어 사진가협회'와 '뉴욕 카메라 클럽'을 단일화하여 좀 더 넓은 지역에 걸쳐 새롭게 조직을 개편하여 '뉴욕 카메라 클럽'이라는 이름으로 출발하였다. 미국에서의 회화적 사진의 기준을 향상시키는 것이고 범국가적 연례회 개최 및 국립 사진 아카데미를 창설하는 것이었다. 그런데 전통적인 사진방향과 뜻이 다른 스티글리츠는 '뉴욕 카메라 클럽'에서 탈퇴하고 1902년에 앨빈 랭던 코번(Alvin Langdon Coburn), 프랭크 유진 (Frank Eugene), 게르트루드 캐세비어 (Gertrude Kasebier), 클라렌스 H. 화이트(Clarence H. white)등 41명의 사진가들과 함께 사진분리파(photo-secession)를 결성하였다.

오키프와 스티글리츠

스티글리츠는 무명의 여류 화가의 작품을 본 순간 감명을 받았다. 그는 오키프의 작품들을 갤러리 291의 가장 좋은 부스에 전시했고, 대단한 호평을 받았다. 뒤늦게 이 사실을 알게 된 오키프는 당장 스티글리츠에게 달려가 자신의 그림들을 떼어줄 것을 요구했다. 스티글리츠는 가냘픈 몸매로 자신의 의사를 당당하게 밝히며 항의하는 그녀에게서 묘한 매력을 느꼈고 오히려 그림을 계속 전시하도록 설득했다.

그로써 오키프는 비평가들의 찬사를 받으며 미국 화단에 화려하게 등장하며, 미국의 가장 위대한 화가 중 한 사람으로 명성을 얻는 계기가 되었다. 그후 스티글리츠와 오키프는 갤러리 운영자와 화가라는 업무적 만남에서 출발하여 차츰 밀회를 즐겼고, 1924년 마침내 두 사람은 결혼했다. 스티글리츠는 60세였고, 오키프는 37세였다. 그러나 오키프는 결혼한 뒤에도 자신의 성을 그대로 사용했으며 화가로서 독립적인 인생을 살았다. 당시로서는 파격적인 일이었다.

그녀의 독특한 행동 중 하나는 자신의 작품에 서명을 하지 않는 것이었다. 누군가 "왜 작품에 서명을 남기지 않느냐?"는 질문에 그녀는 반문했다. "자신의 얼굴에 서명을 할 필요가 있나요?"

스티글리츠는 남편으로서, 때로는 사진작가로서, 조지아 오키프의 예술 활동과 일상적인 모습을 천여 점의 누드 사진과 인물 사진으로 남겼다. 그녀가 머물던 뉴멕시코의 집이나 스튜디오 등에서 찍은 사진들이었다.

스티글리츠가 찍은 오키프의 이미지는 인간의 모습에서 새로운 이미지를 창조한 것이었다. 그는 오키프와 함께 예술혼을 불태우며 작품을 만들었고, 그런 두 사람의 관계는 작품 속에 고스란히 녹아 있었다. 스티글리츠는 사진 속의 오키프에게서 그녀의 작품 세계, 특히 〈꽃〉 시리즈에서 느낄 수 있는 섬세함, 예리함과 같은 느낌을 자아내도록 했다. 오키프를 모델로 한 사진 작품들은 '엄숙하고 섬뜩하며 묘한, 젊지도 늙지도 않았지만 신비스러운 아름다움과 기이하고 음침하며 나이를 짐작할 수 없는 여자의 이미지'를 담고 있다.

조지아 오키프는 독창적인 사람이었다. 약간 말랐지만 강인한 몸매를 가진 그녀는 미국 개척시대 험난한 길을 묵묵히 걸었던 여성상을 보여주었다. 그녀는 어떤 특별한 정치적 행동이나 페미니즘적 주장을 하지도 않았다. 그러나 오히려 그런 이유로 인해 그녀는 화가로서보다 강인하고 개성있는 진취적인 여성으로서 평가받았다. 그녀의 독특한 행동은 사람들의 관심의 대상이 되었다.

## 마음과 영혼으로 느끼는 것을 그리다

오키프의 미술 교육은 열 살 때 개인교습으로 시작되었다. 미술교사는 오키프의 재능을 알아보았지만 사물을 실제 비율보다 크게 그리길 좋아하는 그녀의 방식에 비판을 가했다. 19세기 말과 20세기 초는 유럽과 미국 모두 사실주의(realism)가 유행하던 시기로, 사물을 하나 혹은 일부분만 부각시켜서 그리는 방식이 받아들여지기 어려웠다.

20세기 초부터 미국에서 모더니즘 화풍이 태동하기 시작하면서 오키프의 그림은 인정받기 시작했다. 이후 1970년대까지 그녀는 왕성한 활동을 벌였다. 오키프는 전통적으로 정물화의 대상으로

만 여겨지던 꽃을 거대하게 확대하여 화폭을 채웠다. 그녀는 초창기부터 이미 사물을 똑같이 그리지 않고, 자신의 눈과 마음과 영혼으로 인지하는 것을 그려야 한다고 생각하고 있었다.

오키프는 삶의 터전이 되었던 뉴멕시코 사막의 풍경화를 통해 자연이라는 이름으로 드러나 있는 주변을 그녀만의 사실적인 기법으로 표현했다. 그녀의 화풍 전반은 자연에 대한 탐구를 통한 심오한 상징이 숨겨져 있으며, 화가 자신이 지니고 있는 여성성이나 아름다운 자연에 대한 예찬, 죽음과 삶에 대한 고찰 등이 상징적 이미지를 통해 드러났다. 상징성이 두드러지는 이러한 화풍의 특징 때문에 그녀의 그림은 여러 가지 해석이 가능하다. 그녀가 그린 꽃 그림은 '여성의 성적 정체성'을, 동물 뼈는 '황폐한 남성성'으로 해석된다.

오키프 후기작품의 주제는, 뉴멕시코의 맑은 하늘과 사막 풍경을 포함하여, 주로 사막에서 주운 두개골, 짐승의 뼈, 꽃, 식물의 기관, 조개껍데기, 산 등의 자연을 확대시킨 것이었다. 율동적인 선과 선명한 색으로 그리되 엷은 톤의 물감으로 원근법과는 다른 방법으로 강약을 표현했다. 그녀의 그림은 생물적 이미지에 추상적인 아름다움을 부여하여 신비스럽고 때로는 상징적이기도 했다. 오키프는 서유럽계의 모더니즘과 직접적 관계가 없는 추상환상주의(Abstract Fantasy)의 이미지를 개발하여, 20세기 미국 미술계에서 독보적 위치를 차지했다.

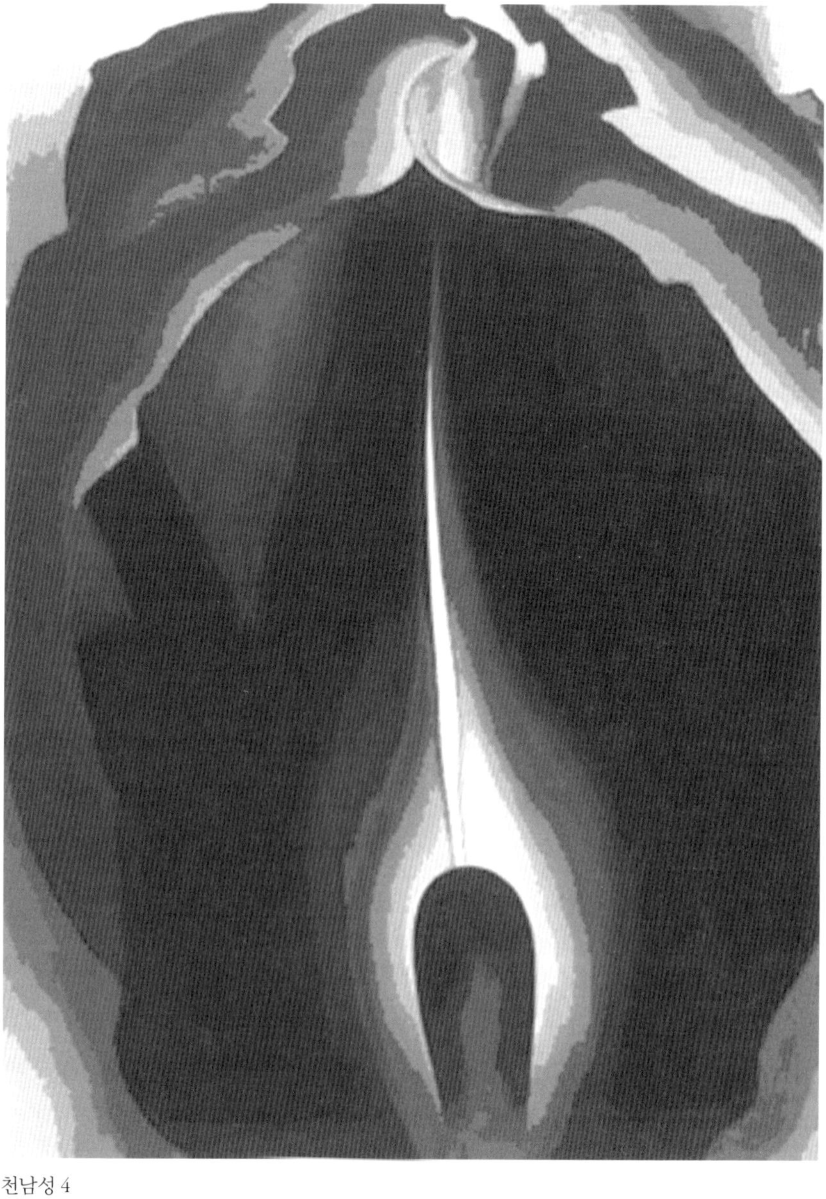

천남성 4

## 조지아 오키프의 천남성을 본 여자아이의 솔직한 느낌

오키프는 꽃 그림을 많이 그렸는데, 특히 그녀가 즐겨 그린 트리필룸 천남성(jack-in-the-pulpit, triphyllum)은 그 생김새가 독특했다. 천남성과(天南星科, Araceae)에 속하는 북아메리카산 식물인 이 꽃은, 북쪽으로는 캐나다 노바스코시아와 미국 미네소타로부터, 남쪽으로는 플로리다와 텍사스에 이르는 그늘지고 습한 삼림지에서 자란다. 오키프는 1930년 이 꽃을 주제로 '천남성 시리즈'를 남겼다.

천남성 시리즈에 나타난 특징의 하나는 '천남성 4'에서 보듯이 관람하는 사람의 정면을 향해 꽃이 활짝 열려진 상태로 펼쳐져 있는데, 그것은 분명 여성의 성기를 연상시킨다. 그래서 더욱 강렬한 인상을 준다. 오키프는 "우리가 타인을 정확하고 바르게 보고 이해할 수 있는 것은 그 사람이 우리 정면을 직시하고 있을 때이지 그가 등을 돌렸을 때가 아니다"라고 말하는 것 같다.

어떤 평론가는 오키프의 꽃을 보고 말했다. "꽃은 활짝 열려진 상태로 우리에게 속삭인다. 그대여 내게 오라. 그대 생명의 출발지이자 그대가 영원히 안식하고 싶은 바로 그곳으로."

성교육 전문가 데브라 해프너(Debra W. Haffner)는 두 살이 채 안 된 딸을 데리고 조지아 오키프의 작품이 전시된 화랑을 둘러보고 있었다. 그녀의 딸이 갑자기 오키프의 그림 하나를 가리키면서 화랑 안의 모든 사람들이 들을 정도의 큰 소리로 "Vulva!(여성의 성기)"라고 소리쳤다. 해프너는 당황하지 않을 수 없었지만, 그보다도 자신의 딸이 그 나이에 성기를 인식한다는 데 깜짝 놀랐다. 그날의 경험으로 그녀는 1999년 성교육 지침서 《기저귀부터 데이트까지》를 발표했다.

오키프가 자신의 그림에서 여성의 성기를 의식하도록 그런 의도로 그림을 그렸는지는 알 수 없다. 그러나 오키프는 자신의 그림이 성적으로 어떻게 보이든 그리 신경을 쓰지 않았던 것 같다.

관찰이란 눈에 보이는 것을 표현하는 것이 아니라, 관찰자가 보는 그 무엇을 다른 사람들도 볼 수 있게 하는 것이다. 오키프의 커다란 꽃그림은 그 그림이 실제 꽃만큼 작았으면 전달하지 못했을 느낌을 우리에게 전달한다. 오키프는 이를 잘 인식하고 있었다. 오키프는 자신의 그림이 사람들의 눈에 좀 더 잘 띄게 하기 위한 방법을 의식적으로 생각해냈다. "내가 꽃을 있는 그대로 그렸다면, 아무도 내가 본 것을 보지 못했을 것이다. 왜냐하면 배경을 그리게 되면 꽃이 작은 만큼 그림도 작게 그려야 했을 테니까. 나는 그 꽃이 나에게 의미하는 것을 그려내려고 했다. 나는 꽃을 아주 크게 그렸다. 그러자 사람들은 놀라서 그림을 오랫동안 바라보았다. 나는, 내가 꽃 속에서 본 것을 아무리 바쁜 뉴요커들이라 하더라도 시간을 내서 들여다보게 만들었다."

## 세상에 대한 호기심

1946년 인생과 예술의 동반자였던 스티글리츠가 먼저 세상을 떠났다. 59세의 오키프는 뉴멕시코의 사막에서 은둔 생활을 시작했다. 전화는 물론 전기와 수도 시설조차 없는 문명의 오지(奧地)에 스스로를 가두었다. 그녀는 무엇이든 버리는 적이 없었다. 집안은 항상 잡동사니로 가득 차 있었고, 오키프는 그것들은 각기 모양과 색깔 등에 따라 분류하고 정리했다.

오키프는 생전에 이미 20세기 미국을 대표하는 중요한 화가로서 평가받았다. 포드와 레이건 대통령에게 각각 자유메달(Presidential Medal of Freedom)과 예술훈장(United States National Medal of Arts)을 받았으며, 수많은 명문 대학으로부터 명예박사 학위를 받았다. 자신의 죽음에 임박해 오키프는 마지막으로 세상 사람들을 놀라게 했다. 평생에 걸쳐 작업한 모든 작품들과 재산을 조수 후안 해밀턴(Juan Hamilton, 1945- )에게 유산으로 남긴 것이다. 도예가인 해밀턴은 1973년부터 뉴멕시코에 정착하여 오키프가 죽을 때까지 13년 동안 스튜디오의 조수로 일을 도왔다.

1986년 3월 6일, 산타페 세인트 빈센트 병원에서 오키프는 조용히 숨을 거두었다. 해밀턴은 유언에 따라 그녀를 화장하고 뉴멕시코 페더날 산(Pedernal Mountain)에 유해를 뿌렸다. 그리고 물려받은 그녀의 수집품과 책, 옷 등 유품을 오키프 박물관에 기증했다.

위대한 예술가의 뒤에서 많은 여성들이 조용히 내조만 한 데 비해, 오키프는 남편 스티글리츠의 생전에도 화가로서 독자적인 명성을 누렸고, 남편과는 서로 예술가 대 예술가로서의 상호존중과 사랑 속에서 서로 대등하게 살았다. 남편이 사망한 후에는 남편의 후광을 입으며 살지 않고 40년간이나 화가로서 활동을 했다. 그리고 99세로 생을 마감하는 순간까지 세상에 대한 호기심을 잃지 않고 자연의 경이로움을 느끼며 살았다.

# 루이스 부르주아

*Louise Bourgeois*

98세(1911– )

"예술은 우리를
제정신으로 살아가게 지켜준다."

### 거대한 거미, 상처 받기 쉬운 존재의 상징

스페인 빌바오 구겐하임 미술관을 강 건너편에서 바라보면 저녁 햇빛을 받아 반짝이는, 온통 구부러지고 휘어진 건축물을 보며 사람들은 작은 충격을 받는다. 프랭크 게리(Frank Owen Gehry, 1929- )가 설계한 것으로 유명한 구겐하임 미술관 건물에 시선이 빼앗긴 관람객들은 미술관 앞에 서 있는 거대한 거미 조각상을 무심코 지나치기 쉽다.

필자가 구겐하임의 미술관에 전시된 청동 거미 조각상을 떠올리며 "아하, 거미!"라고 소리친 것은 리움미술관의 옥상에 설치된 거미 조각상 때문이었다. 그때까지만 해도 그 거미조각이 세계 유수의 박물관이 소장하는 유명한 조각품들 중 하나이겠거니 하는 것 이상은 그 작품에 대해 특별한 감정을 느끼지 못했다.

마망(Maman)

그 거미 조각상에 대해 다시 관심을 갖게 된 것은 그 작가가 여자라는 것, 그것도 97세의 생존하는 작가라는 점, 2008년 초 프랑스 퐁피두센터에서, 아마도 마지막이 될 회고전을 열고 있다는 기사를 본 덕분이었다.

## 아버지에 대한 증오와 어머니에 대한 연민

루이스 브루주아는 1911년, 파리의 생제르맹 가에서, 중세 및 르네상스시대 태피스트리(tapestry, 다양한 색실로 그림을 짜넣은 직물)를 수선하고 판매하는 태피스트리 갤러리를 운영하는 부모에게서 태어났다. 아버지 이사도르 부르주아는 감정적이고 비합리적인데 비해, 어머니 조세핀은 현명하고 너그러운 성품이었다. 열 살 무렵부터 루이스는 갤러리에서 수선할 카펫의 밑그림을 그리며 부모의 일을 돕기 시작했다.

그녀의 아버지는 3남매 중에서 자신을 가장 닮은 루이스를 특히 예뻐했다. 이때까지만 해도 루이스는 아버지의 사랑을 듬뿍 받으며 행복하게 살았다. 그러나 루이스 남매들에게 영어를 가르치기 위해 입주한 여자 가정교사 세이디 고든 리치몬드는 곧 아버지의 정부가 되었고, 이때부터 고통스런 나날이 시작되었다. 아버지가 근 10년 동안 한 집에서 두 여자와 살게 되면서 루이스의 성격 형성에 결정적인 영향을 주게 되었다. 어머니의 심리적 고통은 말할 수 없었고, 루이스는 어머니가 조용히 죽어가는 것을 무기력하게 보기만 했다.

미술사가들은 아버지의 불륜, 가족에 대한 배신감과 증오, 어머니에 대한 연민 등 복잡한 감정이 루이스의 예술에 원동력이 되었다고 분석한다.

루이스의 대표작은 거대한 엄마 거미 마망(Maman)인데, 빌바오 구겐하임과 한국의 리움, 필라델피아와 토론토, 그리고 도쿄의 모리 타워 등 세계 유수 박물관과 미술관에 전시되어 있다.

거미 작품은 루이스가 자신의 어머니를 생각하며 '모성애'를 주제로 만든 작품이다. 거미줄을 쳐서 다른 곤충을 잡아먹는 거미는 새끼를 보호하며 가정을 지키는 모성의 상징이다. 루이스는 1995년

〈어머니에게 바치는 송사〉라는 조각 작품 개요에 이렇게 썼다. "어머니는 내 가장 친한 친구였다… 그리고 거미처럼 쓸모가 있었다."

루이스의 어머니는 거미줄 같은 보호막으로 호색한인 아버지로부터 딸을 보호했다. 루이스는 조각뿐 아니라 드로잉, 판화 등 이전 작품에서도 거미를 소재로 자주 등장시켰다.

루이스의 작품에서는 어린 시절의 특정 기억을 재현하는 매개물이 반복적으로 등장하는데, 역설적이게도 그것은 회상하고 싶지 않은 장면을 잊어버리지 않으려고 노력하는 것과 같았다. 집과 여성의 신체를 동일시하는 초현실적인 화법으로 그려진 1940년대의 〈집=여자〉 연작은 억압과 보호가 공존하는 가정을 상징한다.

## 페르낭 레제와 로버트 골드워터

루이스는 정신적 불안과 인간에 대한 불확실한 감정으로 인해 예측가능하고 안정된 학문체계를 선호하게 되었다. 1932년 21세의 그녀는 소르본느 대학에 입학하여 수학과 기하학을 전공했다.

그러나 수학적 관념이 불변의 진리가 아니고 이론적 구조일 뿐이라고 판단한 루이스는 예술 세계로 전환했다. 이듬해부터 루이스는 에꼴 데 보자르(Ecole des Beaux Arts)와 에꼴 드 루브르(Ecole du Louvre)에서 미술공부를 시작했고, 몽파르나스와 몽마르트르에 있는 여러 화가들의 작업실을 전전했으며, 모스크바 극장의 연극과 러시아 미술 작품을 보기 위해 러시아 여행도 했다.

1938년경 루이스를 가르쳤던 페르낭 레제(Fernand Leger, 1881-1955)는 루이스에게 3차원에 대한 관념을 심어주어 훗날 루이스가 조각가가 되는데 영향을 주었다. 레제는 피카소의 영향을 받아 기하학적인 면이 돋보이는 그림을 그렸는데, 그는 루이스의 감성이 입체적인 쪽에 더 가깝다는 것을 일깨워주었다. 그 무렵, 루이스는 아버지의 태피스트리 갤러리의 일부 공간을 할애하여 자신의 미술 갤러리를 개관하고는 들라크루아, 마티스, 르동, 발라동, 보나르의 드로잉과 판화를 취급했다.

루이스는 박사논문 자료 수집차 파리에 온 미국의 미술사학자 로버트 골드워터(Robert Goldwater, 1907-1973)를 만나 결혼한다. 27세 때였다. 훗날 루이스는 "내 삶은 1938년 6월 로버트를 만났을 때 시작됐다. 그 이전에는 아무 것도 없었다"고 회고했다.

두 사람은 곧 미국으로 이주하여 뉴욕에서 신혼생활을 시작했다. 미국에 자리잡은 루이스는 뉴욕의 아트 스튜던트 리그 미술 수업을 청강했으며, 1939년 브루클린미술관에서 처음으로 열린 판화전에 작품을 출품하여 미국의 미술계 인사들, 유명 화랑주, 작가들과 친분을 쌓아갔다. 1940년 루이스는 첫째아들 장 루이 골드워터를 출산하고 이듬해 둘째아들 알랭 매튜 클레망을 낳았다.

## 페미니즘을 대표하는 작가

1940년대와 1950년대 초 루이스는 고향을 그리워하며 가족, 친지들을 의인화하여 기하학적이며 수직적인 형태의 조각들을 제작했다. 소르본느에서 수학과 기하학을 전공한 배경을 나타내주듯, 조형적인 감각을 보여주는 작품들이었다.

60년 이후 〈소녀〉(1968) 〈개화하는 야누스〉(1968)에서 볼 수 있듯이 남녀 신체의 성적 이미지가 통합된 양성(兩性) 이미지들이 흥미로운 방식으로 표현되었다. 그녀의 예술세계에서 양면성, 혹은 이중성이 주요한 특징으로 발견되는 시기이다.

루이스의 조각은 70년대에는 급속도로 부상한 페미니즘 열풍과 함께 더욱 강렬하고 파격적인 인상을 남겼다. 미국에서는 1960년대를 기점으로 팝아트와 미니멀리즘이 압도적 인기를 끌었고, 70년대에 들어 페미니즘이 급부상했는데, 루이스는 미국 '페미니즘 미술'을 대표하는 작가로 분류되었다. 페미니즘 미술의 등장은 이념, 정체성, 정치적 사회적 주제가 다시 미술의 요소로 사용됐다는 데 의미가 있었다.

미니멀리즘 작가들은 간결한 조각을 통해 "되도록 절제하자"고 주장했다. 하지만 한편에서는 작품을 통해 작가 개인의 이야기를 하고 사회에 발언하고 싶어했다. 페미니즘 미술은 그런 흐름 속에 있었다.

1970년부터 루이스는 시위, 집회, 토론과 전시 활동 등을 통해 페미니즘 운동에 적극 참여했다. 그래서 루이스는 종종 페니미즘 작가로 분류된다. 그러나 본인은 이렇게 말했다. "나는 내 작품을 어떤 이념으로 묶는 것에 반대한다. 나는 다만 내가 아는 것에 관

해서만 얘기할 뿐이다. 모르는 것에 대해서는 얘기할 수 없고 이야기하고 싶지도 않다. 내가 여자이기 때문에 여자 이야기를 하는 것이다. 그렇다고 '여성'들을 위해 이야기하려는 것은 아니다. 나는 늘 나 자신에 관해 이야기한다."

## 설치 작품

1973년 남편 로버트가 사망하자 루이스는 더욱더 작품 제작에 몰두했다. 1974년 발표한 그녀의 첫번째 설치미술 작품 〈아버지의 파괴〉도 이 시기에 제작됐다. 무서운 아버지가 제왕처럼 군림했던 어린 시절의 저녁 식탁을 포식 동물의 동굴로 표현했다.

1974년 루이스는 개인전 〈조각 1970-1974〉을 열었고, 뉴욕 시각예술학교, 콜럼비아 대학교, 쿠퍼 유니언, 버몬트주에 있는 고다르 대학교 등에서 강의를 했다. 예일 대학과 매사추세츠 미술대학으로부터 명예 박사학위를 받았고, 미국과 프랑스 정부로부터는 문화훈장을, 일본문화협회로부터는 세계문화상을 수상하는 등 작가로서 최고의 영예를 누렸다.

1970년대 말부터 새롭게 주목받기 시작한 루이스는 1999년 제48회 베니스 비엔날레에서 황금사자상을 받았고, 〈아트뉴스〉지가 20세기를 보내면서 미술관장, 큐레이터, 미술 비평가들을 대상으로 조사한 '생존하는 세계 10대 작가' 중 한 명으로 선정되기도 했다.

그녀는 영국 현대미술의 르네상스를 표방하며 개관된 런던 테이트 갤러리(Tate Gallery) 분관 테이트 모던(Tate Modern)의 오픈 갤러리에 거대한 설치미술을 제작하여 세계에서 가장 활동이 두드러진 작가 중 한 사람이 되었다. 그녀의 작품은 현재 세계 유수 미술관들과 주요 컬렉션에 소장되어 있다.

그러나 부르주아의 작품 중 가장 인상적인 것은 밀실을 재현한 일련의 설치작품이다. 때론 철망으로, 때론 낡은 문짝이나 유리벽으로 만들어진 '밀실'의 공간은 부르주아가 갈망하는 안정감의 또다른 표현이다. 닫혀 있지만, 탈출구가 있는 좁고 아늑한 공간은 상징적인 은신처이며 또한 은밀한 욕망이 퍼져나가는 곳이기도 하다.

1994년도 설치작품 〈붉은방〉은 부르주아가 성장했던 어린시절의 단면을 담고 있다. 오래된 문짝 여러 개를 가리개 삼아 둥글게 둘러친 공간은 철망이 쳐진 유리창 너머로 엿볼 수 있게 되어 있다. 바늘에 찔리면 죽는다는 은근한 성적 상징이 깃든 재봉실의 풍경은, 아버지와 가정교사 사이의 금지된 관계가 묵인하에 이뤄졌던, 태피스트리 갤러리의 또다른 모습이기도 했다. 방안에 위태

롭게 배치된, 깨지기 쉬운 유리 오브제는 상처받기 쉬운 마음을 상징하는 것이었다.

## 바늘과 실, 화해와 회복

아흔을 넘긴 1990년대 후반부터 루이스는 조각조각 흩어진 천조각을 기워 헝겊인형을 만드는 작품들을 내놓고 있다. 한땀 한땀 꿰매어지는 동안 분열된 신체는 하나로 통합된다. 바늘은 상처를 주는 동시에 상처를 추스르는 도구가 된다. 루이스의 천조각 작품은 치유의 행위를 뜻하고 조각천을 이어붙여 만든 인물상들은 화해와 통합과 회복을 상징한다.

청동의 단단하고 차가운 금속성이 아닌, 작가의 손이 어루만지듯 천으로 꿰맨 부드럽고 따뜻한 섬유 조각은 인간관계의 여러 가지 모습을 더욱 애절하고 감동적으로 표현하고 있다. 루이스는 자신의 예술을 이렇게 말한다. "나의 예술은 카타르시스이다. 내가 경험한 상처, 증오, 연민을 표현하고자 한다. 잊어버리기 위해서는 화해하고 용서해야 한다. 요즘에는 빨간색을 주로 쓴다. 아마 포용하고 받아들이는 감정의 한가운데서도 이해받고 사랑받기 원하는 내면의식의 표현이 아닌가 한다. 나에게 예술은 두려움을 넘어서기 위한 작업이다."

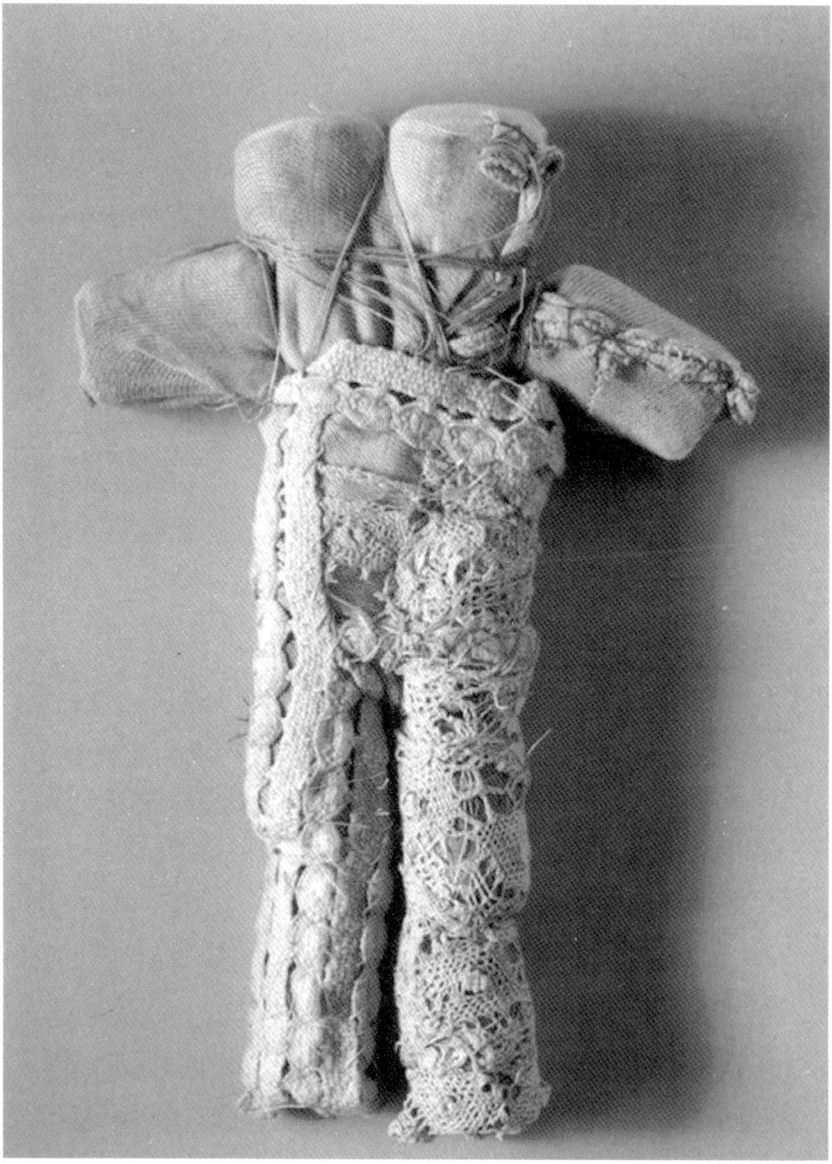

## 잠재된 과거의 기억

흔히 우리는 어떤 사람에 대해 말할 때 이렇게 말한다. "네가 먹는 음식을 말해 주면 네가 누군지 알겠다. 네가 만나는 친구들을 보면 너를 알 수 있겠다. 너의 오늘은 네가 지금까지 읽은 책의 결과이다." 그리고 한 예술가의 현재 모습은 과거의 기억에서 형성되었다고 말할 수 있다면, 그 대표적인 인물이 루이스 부르주아일 것이다. 어린 시절 마음의 상처를 입은 사람들은 대체로 그 고통스런 기억을 덮어둔 채 돌아보려 하지 않는다. 그러나 기억은 묻어둠으로써 소멸되는 것이 아니다. 잠재될 뿐이다.

어느 순간 그 기억은 괴물처럼 되살아나서 삶을 위협하고, 불안정한 상태로 몰아간다. 어릴 때 한두 가지 절망적인 기억들을 갖고 있지 않은 사람이 어디 있겠는가? 일부 사람들은 그런 어릴 때의 괴로운 기억 때문에 영원히 절망 속에 빠져 삶을 망쳐버리는 경우가 있는 반면, 루이스는 그 괴로운 기억을 예술 창조의 원동력으로 삼았다.

루이스는 1982년 71세에 뉴욕 현대미술관(MOMA)에서 최초로 회고전을 연 것만으로도 미술사에 이름을 남길 만하다. 그러나 2000년 89세에 테이트 현대미술관의 개관을 위한 작품 제작을 의뢰받고 360인치 크기의 대형 거미와 계단과 거울을 이용한 3개의 강철로 된 건축탑을 제작, 설치했다. 프랑스의 국립현대미술기금은 튈르리 공원에 영구 설치하기 위해 청동과 화강암으로 된 작품 〈환영하는 손〉을 구입했다. 2000년 한국의 국립현대미술관에서도

'루이스 부르주아: 기억의 공간' 전이 개최되었다.

2001년 90세에 대규모 청동 작품인 〈거미〉 세 점이 뉴욕의 록펠러 센터에 설치되었고, 세인트 피터스버그에 위치한 국립 허미티지 미술관에서 '허미티지의 루이스 부르주아' 전이 개최되었다. 이것은 허미티지 미술관 사상 최초의 생존 작가 전시회였다.

그러고도 그녀는 더 오래 살며 계속 일했다. 2008년 초, 프랑스 퐁피두센터에서 또 다른 회고전을 열었을 때 루이스의 나이는 97세였다. 루이스는 "예술은 우리를 제정신으로 살아가게 지켜준다"라고 말했다. 그 점은 예술가뿐만 아니라 평범한 사람들에게도 마찬가지인 듯싶다.

# 프랭크 로이드 라이트

*Frank Lloyd Wright*

92세(1867–1959)

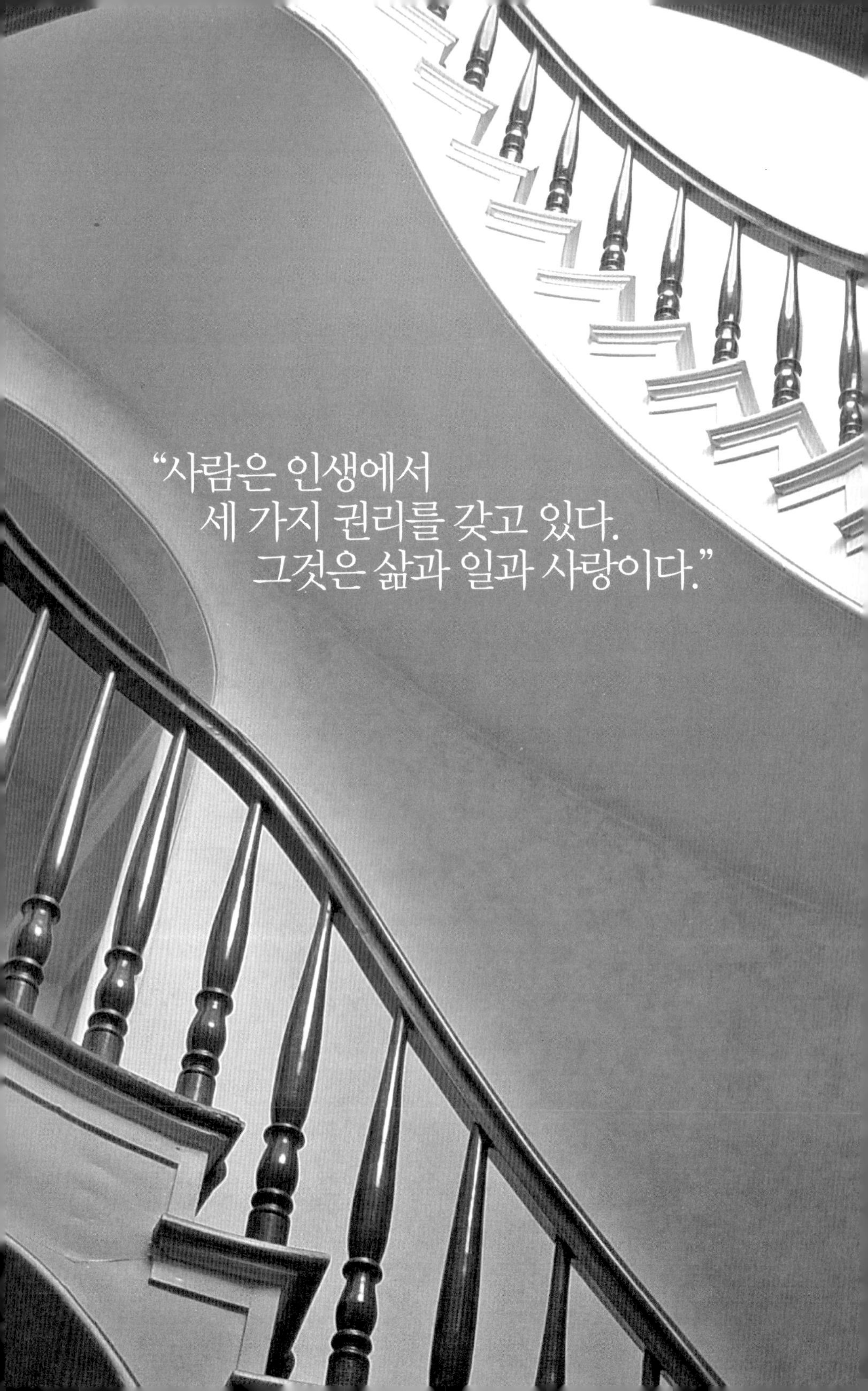
"사람은 인생에서
세 가지 권리를 갖고 있다.
그것은 삶과 일과 사랑이다."

## 미국 건축의 위대한 스승

부모의 이혼, 학교 입학과 중퇴, 입사와 전직과 해고, 세 번의 결혼과 두 번의 이혼, 숱한 스캔들, 화재와 애인의 죽음 그리고 재건, 사후 유해의 매장과 발굴, 오페라와 연극의 단골 소재가 된 인물, 근대 미국 건축의 개척자…. 이것은 한 개인의 삶을 압축해 표현한 것이다. 그는 이렇게 말했다.

"사람이 진정으로 자신에게 솔직하다면, 인생의 세 가지 것에 대해 권리를 갖고 있다. 그것은 삶과 일과 사랑이다."

그가 바로 프랭크 로이드 라이트(Frank Lloyd Wright, 1867-1959)이다. 그는 이전까지 유럽 건축을 모방한 미국의 건축 문화에 반기를 들고 독자적인 유기적 건축 이론을 수립한 인물로, 미국 건축의 위대한 스승이자 미국 건축의 자존심으로 평가받고 있다. 라이트는 건축이란 자연을 지배하고 변형시키는 것이 아니라, 환경에 자연스럽게 녹아들어 공간을 디자인하는 것이라 보았다. 그리고 미국의 주택은 미국의 자연 환경과 미국인들의 생활에 가장 적합한 것이어야 한다고 주장했다.

## 어머니의 야망

라이트는 1867년 위스콘신 주(州)의 농장 마을 리치랜드 센터(Richland Center)에서 태어났다. 라이트의 생부 윌리엄 캐리 라이트(William Carey Wright, 1825-1904)는 그 지방에서 존경받는 전도사로서 음악교사, 변호사와 순회판사 역할을 했다. 아버지는 마을 학교의 교사였던 안나 로이드 존스(Anna Lloyd Jones, 1839–1923)와 결혼했다. 안나는 영국 웨일스 지방에서 이민온, 유서깊은 유니테리언 가문이었는데, 원래 침례교도였던 아버지는 결혼 후 아내의 종교를 따라 유니테리언(Unitarianism)으로 개종했다.

유니테리언은 18세기 등장한, 이신론의 영향을 받은 기독교의 한 종파이다. 그러나 유니테리언은 유일신 신앙을 주장하지만, 예수의 신성을 인정하지 않아 삼위일체 신앙을 갖고 있는 기독교와는 교리적으로 차이가 있다.

라이트의 부모는 의지가 굳고 개성이 강한 사람들로서 그런 기질은 아들 라이트에게도 전해졌다. 라이트를 임신한 후 어머니는 뱃속의 아이가 자라서 아름다운 건물을 짓는 건축가가 될 것으로 확신했다. 그래서 잡지에서 오린 영국 대성당 사진을 어린 라이트의 방에 붙여두고 어릴 때부터 건축가로서 꿈을 키우도록 했다.

1870년 라이트 가족은 매사추세츠 주 웨이모스(Weymouth)의 소규모 교회를 돕기 위해 그곳으로 이사 갔다. 1876년 어머니는 필라델피아의 전시관에서 독일 교육학자 프뢰벨(Friedrich Wilhelm August Froebel, 1782-1852)의 놀이 블록을 보고 그것을 자식들의 교육에 활용했다. 어린 라이트는 기하학적으로 다양한 3차원 구성체를 만들 수 있는 놀이 블록을 즐겨 갖고 놀았다. 프뢰벨은 아이들에게 자연을 모방하기보다 나무토막, 큐빅 맞추기, 원형 등을 조합, 확장시키면서 시각 훈련을 쌓는 것이 중요하다고 생각했다. 이것은 라이트에겐 평생 잊지 못할 기억들이며, 그런 영향으로 라이트가 설계한 건축물에는 기하학적 도형이 많다.

라이트의 가족은 웨이모스에서 경제적으로 어려워, 곧 위스콘신 스프링그린(Spring Green)으로 돌아왔다. 외가 쪽에서 부친의 일자리를 얻어주었다. 그후 가족은 매디슨에 정착했고, 거기서 아버지는 음악교사 겸 유니테리언 교회협회 관리자로 취직했다. 비록 아버지는 자식에 대해 자상한 사람은 아니었지만 음악을, 특히 바흐의 음악을 자식들에게 열심히 가르쳤다. 1881년 라이트가 14세 때 부모는 헤어졌고, 1885년 정식으로 이혼했다. 라이트의 원래 이름은 프랭크 링컨 라이트(Frank Lincoln Wright)였으나 부모가 이혼하게 되면서 어머니 쪽 이름(the Lloyd Joneses)을 미들 네임으로 하여, 프랭크 로이드 라이트(Frank Lloyd Wright)로 이름을 바꾸었다.

그후로 라이트는 아버지를 영영 보지 못했다. 가족 중 유일한 남자인 그가 어머니와 두 여동생의 생계를 해결해야만 했다.

## 스승 루이스 설리번

1886년 라이트는 위스콘신 대학에 특별 장학생으로 입학했다. 앨런 코노보(Allan D. Conover) 교수 지도하에 토목공학을 배웠으나 학위를 취득하지 않고, 시카고로 가서 조지프 리먼 실스비 건축회사에 입사했다. 그러나 그곳에서 한 해를 채우지 못하고 애들러 앤 설리번(Adler & Sullivan) 회사로 옮겼다.

1890년부터 라이트는 애들러 앤 설리번 사가 따낸 주택건설 프로젝트의 설계를 맡았다. 그러나 라이트가 개인적으로 주택 설계를 의뢰받아 일하는 것이 알려져 3년 만에 해고되었다. 라이트는 곧 독자적인 설계사무소를 차렸지만 루이스 설리번(Louis Henri Sullivan, 1856-1924)을 평생 스승으로 생각했고, 미(美)라는 것은 기능이나 형태에 내재하고 있다는 설리번의 건축사상을 계승 발전시켰다.

1900-1907년 사이에 라이트가 설계한 프레리 하우스(Prairie Houses)는 건축사에 있어 오픈 플랜(open plan, 일종의 원룸 시스템으로, 공간의 효용성과 개방성을 추구함)을 실현한 최초의 건물로 꼽히고 있다. 1908년에는 시카고 대학 내에 캔틸레버(cantilever, 건축에서 한쪽 끝을 지지, 고정하고 지지되지 않은 다른 끝으로 하중을 지탱하

는 보)로 된 천장을 가진 로비 하우스를 완성했다.

## 스캔들 메이커

1889년 22세의 라이트는 부유한 가문의 딸인 18세의 캐서린(Catherine)과 결혼했다. 두 사람은 곧 일리노이 주 오크 파크(Oak Park)에 땅을 구입하여 주택을 지었다.

그후 두 사람의 결혼생활은 순탄치 않았다. 라이트에 관련된 스캔들이 온 마을을 떠들썩하게 했다. 라이트가 고객 에드윈 체니(Edwin Cheney)의 주택을 설계하면서 체니의 아내 마마 체니(Mamah Cheney)와 눈이 맞은 것이다. 마마 체니는 다방면에 호기심이 많은 현대 여성으로 두 사람은 곧 사랑에 빠졌다. 그러나 라이트에게는 여섯 명의 자식을 낳아 준 아내 캐서린이 있었다. 캐서린은 그전에도 라이트가 종종 바람을 피웠기 때문에 이번에도 그가 곧 가정으로 돌아올 것이라 생각하여 라이트의 이혼 요구에 응하지 않았다.

1909년 라이트는 마마와 함께 유럽으로 건너갔다. 이러한 애정도피 행각으로 라이트는 더 이상 미국에서 건축 수주를 할 수 없었다. 미국의 건축역사가들은 라이트가 왜 그런 무모한 짓을 했는지 연구했는데, 라이트가 1907년 프레리 하우스를 완성한 후에, 개인주택 건축 분야에서 자신이 이룰 수 있는 일을 모두 실현했다고 느꼈기 때문이었을 것이라고 결론을 내렸다. 사실 라이트는 그 당시까지는 개인주택 외에는 제대로 된 대규모 상업용 건물이나 공공 건물을 수주하지 못했는데, 그것은 야심만만한 건축가로서는 좌절을 맛보게 하는 것이었다.

라이트가 유럽으로 간 직접적인 이유는 1909년 에른스트 바스무트(Ernst Wasmuth) 출판사에서 작품집을 발간하기로 했기 때문이었다. 《바스무트 포트폴리오*Wasmuth Portfolio*》라는 제목으로 출판된 책은 라이트의 건축 작품 100건을 두 권에 나누어 1910-1911년에 출판되었다. 그후 이 책은 발트 그로피우스(Walter Gropius, 1883-1969)가 주도한 독일의 바우하우스(Bauhaus) 건축운동에 많은 영향을 주었다.

라이트와 마마는 따로따로 유럽으로 떠나 1910년 에른스트 바스무트 출판사가 있는 베를린에서 만났다. 두 사람은 유럽을 여행하면서, 이탈리아 피렌체 인근 피에솔레(Fiesole)에서 동거를 시작했다.

## 탈리에신과 유기적 건축

그 사이 마마의 남편은 이혼에 동의했지만 캐서린은 여전히 이혼을 거부했다. 1910년 말 귀국한 라이트는 위스콘신 스프링그린에 토지를 구입하고 1911년 5월 '탈리에신'이라는 이름의 건물을 지었다. 탈리에신(Taliesin, 534-599)은 6세기 웨일스 지방의 시인으로, 웨일스 어로 '빛나는 이마' 혹은 '언덕의 꼭대기'라는 뜻이다. 이 말에는 "건축은 자연에서 나오는 것으로 미국의 건축은 미국의

■ ■ ■

**유기적 건축**

**(有機的建築, organic architecture)** 자연계의 유기체처럼 전체와 부분이 균형을 유지하고 땅, 환경과 일체가 된 건축을 말한다. 유기적 건축 이론은, 건축을 인간이라는 유기체를 본떠서, 인체에 기초를 두고 신전(神殿)의 비례를 정한 고대 그리스로 거슬러 올라간다. 오늘날에 와서는 근대건축의 국제건축양식이나 기능주의(機能主義) 건축에 대한 용어로 사용되는데, 기능주의 건축이 때로 정형화(定型化), 비인간화 양상을 보일 때 이에 대한 대립적인 개념으로 쓰인다. 유기적 건축이라는 용어를 의도적으로 사용하고 실천한 사람이 프랭크 로이드 라이트이다. 그의 건축관은 기능을 중시하면서도 기능과 형태의 다이내믹한 균형을 이야기한 스승 설리번을 계승한 것인데, 특히 프레리하우스라고 불리는 그의 초기 주택건축은 대지(大地)에 공감하면서 연속적으로 전개되는 리듬에서 유기적 건축이라는 이름에 어울린다고 할 수 있다. 라이트는 1910년에 '유기적 건축'이라는 용어를 사용했고, 유럽의 건축계에 커다란 반향을 불러일으켰다. 그러나 근대건축사상 라이트의 사상은 한편에서 추진된 르 코르뷔지에의 '주택은 살기 위한 기계이다'라는 견해와 대립하고 있다.

대지 위에 뿌리를 내려야 한다"는 라이트의 신념을 담고 있었다. 그후 탈리에신은 라이트의 건축관과 인생관이 잘 표현된 대표 건축물이 되었다.

라이트는 탈리에신 하우스에서 살면서 건축 설계와 후학 양성에 정열을 쏟았고, 시간이 나는 대로 농사일도 했다. 그가 젊어서부터 착상해 온 **유기적 건축**(organic archtecture) 철학을 구체적으로 실현한 환경을 누린 셈이 되었다.

라이트가 건축에 유기적(organic)이라는 개념을 도입한 것은 1908년으로 거슬러 올라간다. 유기적 건축 철학은 그의 스승인 루이스 설리번이 모더니즘 건축을 일컬어 즐겨 사용했던 "형태는 기능을 따른다"이라는 슬로건에 라이트가 깊이 동경했던 '자연'을 융합한 개념이었다.

또한 라이트는 일본의 문화에도 관심이 많아서 1905년과 1913년 두 차례 일본에 갔다. 그는 1890년 목조로 처음 지어진 일본의 제국호텔을 신축하는 프로젝트를 맡아 1923년 초 완성했는데 건물의 전면은 마야 석조 건축형식이었다. 이 건물은 1923년 9월 1일 발생한 관동대지진에도 견뎌내면서 유명해졌다. 1976년 이 건물은 신축되면서 일부가 나고야 인근 이무야마 민속건축박물관으로 이전, 전시되었다.

라이트에게 평생토록 영향을 끼친 사람은 존경하는 스승 루이스 설리번과 교육학자 프뢰벨이었고, 그에게 영향을 준 것들은 자연, 음악(특히 베토벤의 음악), 그리고 일본의 예술과 건축이었다.

## 화불단행(禍不單行)

라이트에게는 본인이 일으킨 스캔들뿐만 아니라 불의의 사고도 잇따랐다. 1914년 8월 14일 라이트는 시카고에서 대규모 프로젝트를 수행하던 중이었다. 그날, 몇 달 전 고용한 하인 줄리안 칼튼(Julian Carlton)이 탈리에신 하우스에 불을 질렀다. 그 사고로 마마와 그녀의 두 딸, 정원사, 설계사, 작업인부와 그 아들 등 7명이 숨졌다.

1922년 결혼 33년 만에 드디어 첫 번째 아내 캐서린이 이혼에 동의했고, 1년 후 라이트는 그 동안 동거해오던 미리엄 노엘(Miriam Noel)과 재혼했다. 하지만 노엘은 마약 중독자였고 1924년 두 사람은 별거했다.

그 무렵 라이트는 시카고에서 공연을 하고 있던 러시아 페트로그라드 발레단 출신의 발레리나 올가(Olga, Olgivanna)를 만나 두 사람은 1925년부터 탈리에신에서 함께 살기 시작했다. 그러나 그 해 5월 전기누전으로 불이 나 탈리에신 일부가 탔다. 건물을 전면

■ ■ ■
**이시야의 예언**
구약성서에 나오는 이사야에게는 두 아들이 있었는데 그 이름들이 모두 상징적이었다. 한 아들의 이름의 의미는 '남은 자들이 돌아올 것이다'였고, 다른 아들의 이름은 '파멸이 임박했다'는 뜻을 가지고 있다. 이사야서 예언의 핵심은 "하느님만을 신뢰하고 말씀에 순종한다면, 예루살렘을 적들의 손으로부터 구원하여 주신다"는 것이다. 이사야의 예언대로 예루살렘은 두 번의 위기를 무사히 넘기게 되었다. 이때로부터 예루살렘은 하느님께서 보호하시기 때문에 어떤 적도 함락시킬 수 없다는, 예루살렘 신학이 확립되었다.

수리한 라이트는 건물 이름을 탈리에신Ⅲ으로 지었다. 그해 12월 두 사람 사이에 딸 이오바나(Iovanna)가 태어났다.

라이트와 세상과의 갈등과 해결은 탈리에신의 파괴와 재건 과정에서 엿볼 수 있다. 그는 같은 집에서 두 번씩이나 화재를 겪으면서 자신이 **이사야의 예언**과 싸우고 있다고 생각했다.

라이트는 탈리에신의 자비롭고 아름다운 노래, 자연의 생명을 칭송하는 몸짓이 곧 자신에게는 세상에 맞서는 진리라고 보았다. 라이트는 《자서전》의 마지막 부분에서, 재건된 탈리에신의 아름다움을 묘사하면서 진리가 결국 승리할 것이라고 암시하고 있다.

라이트에게는 사건과 사고가 일어나지 않는 날이 드물었다. 1926년 올가의 전 남편 블라드마 힌즈버그는 자신과 올가 사이에 난 딸 스베틀라나를 올가와 라이트가 유괴했다고 두 사람을 상대로 소송을 냈다. 1927년 두 번째 아내 미리엄이 이혼에 동의했고, 라이트는 1년을 기다려 1928년 올가와 세 번째 결혼을 했다.

## 라이트의 건축 철학: 시간, 공간, 인간

라이트는 휴머니즘이 모든 설계의 중심이어야 한다고 생각하고,

낙수장(Fallingwater)

1930년대 유소니언 하우스(Usonian Houses)를 설계했다. 이것은 미국 중산층을 위한, 실용성이 높고 우아한 기하학적 아름다움을 표현한 건물이었다. 라이트는 폐쇄형 공간을 싫어했고, 인간의 신체와 조화를 이룬 아담한 규모의 휴먼 스케일(human scale)의 옹호자였다.

라이트는 항상 건축물은 '시간'과 '공간', 그리고 '인간'에 적합한 것이야 한다고 주장했다. 그가 말하는 '인간'이란 가족, 친구들, 그가 사랑했던 여인들, 그리고 그가 '유소니아'라고 불렀던 미국인들이다.

라이트는, 건축물은 단지 움직이지 않는 상자 같은 닫힌 공간이 아니라 주변의 자연적 환경과 조화롭게 어울려야 하고, 실내가 외부 환경과 서로 열려 있는 공간이어야 한다는 원리에 충실했다.

라이트는 말했다. "이제 건축은 나의 열정이 되었다. 내가 볼 때 미국 건축은 우리가 '아메리카'라고 부르는 땅에서 자연스럽게 솟아난 어떤 것이다. 그것은 들판의 돌과 꽃과 풀, 그리고 그것들을 보살피려고 애쓰는 내 온유한 할머니의 마음 같은 것, 그 언덕에 어떤 집이 마치 군림하듯 들어선다는 것은 생각조차 할 수 없었다."

1935-1939년 동안, 라이트는 부호 에드거 카우프만(Edgar J. Kaufmann Sr)의 의뢰로 펜실베이니아 베어 런(Bear Run)에 여름 별장을 설계했다. 그것이 바로 유명한 낙수장(落水莊)이다. 낙수장은 "거주자는 자연환경에 가까이 살아야 한다"는 그의 철학이 잘 반영된 것으로, 건물 아래로 개울과 폭포가 흐르도록 설계되었다. 외팔보 테라스, 석회석을 사용한 수직 벽, 콘크리트를 사용한 수평 구조물로 된 이 건물은 당시 15만 5,000달러가 소요되었고 설계비는 8,000달러였다. 카우프만 측의 기사들은 처음부터 그 건물이 공학적으로 안전하지 못하다고 주장했으나 라이트는 그 사실

뉴욕 솔로몬 구겐하임 박물관

을 받아들이지 않았다. 1944년 건축주는 라이트 몰래 구조를 보강했다.

1937년 라이트는 미국 중서부의 추운 겨울 날씨를 피해 애리조나 스코츠데일(Scottsdale)에 겨울용 작업장 탈리에신 웨스트(Taliesin West)를 짓고 1959년 사망할 때까지 겨울에는 그곳에서 작업을 했다. 이곳을 탈리에신 웨스트라고 명명한 후에는 원래의

탈리에신을 탈리에신 이스트(Taliesin East)로 명명했다.

라이트는 1943년부터 1959년까지 뉴욕의 솔로몬 구겐하임 박물관을 설계했는데, 그의 대표작이 되었다. 그러나 이 건물은 그의 생전에는 완성을 보지 못했고 완성된 건물의 일부는 라이트의 설계와는 다소 차이가 있었다. 이 건물의 내부는 마치 소라 껍데기처럼 나선형으로 올라간다. 애초의 설계는 먼저 엘리베이터를 타고 위로 올라가서 계단을 따라 내려오면서 미술품을 감상하도록 하는 개념이었다. 그러나 완성된 건물은 아래서 계단을 따라 위로 올라가면서 감상하도록 되어 있다.

1959년 4월 9일, 라이트는 91세의 드라마틱한 일생을 마쳤다. 그의 유해는 고향 리릴랜드센터에서 가까운 위스콘신 주의 스프링그린에 안장되었는데, 도시를 싫어한 그에게 편안한 안식처가 되어주었다.

그로부터 반 세기가 지난 1993년 4월, 매디슨 오페라단은 라이트의 일생을 그린 오페라 〈빛나는 이마〉를 초연했다. 작곡은 다론 헤이겐(Daron Hagen), 대본은 퓰리처상 수상 시인 폴 멀둔(Paul Muldoon)이 맡았다.

그의 독특한 삶은 여러 예술장르에도 영향을 미쳐서 2000년에는 〈일의 노래: 프랭크 로이드 라이트의 세 가지 관점〉이라는 연극이 시카고에서 공연되기도 했다.

2000년 미국건축가협회는 '20세기 10대 건축물'을 선정했는데, 라이트를 비롯해, 사리넨(Eero Saarinen, 1910-1961), 페이(I.M. Pei,

1917- ), 칸(Louis I. Khan, 1901-1974), 존슨(Phillip Johnson, 1906-2005), 미스 반 데어 로에(Ludwig Mies van der Rohe, 1886-1959)였다. 특기할 사항은 10대 건축물에 〈낙수장〉 〈뉴욕 구겐하임 미술관〉 〈로비 하우스〉 〈존슨 왁스 건물〉 등 라이트가 설계한 건축물이 네 개나 포함되었다는 사실이다.

## 근대 건축의 3대 거장

근대 건축의 3대 거장을 손꼽으라면 미스 반 데어 로에, 르 코르뷔지에, 그리고 프랭크 라이트가 포함된다.

미스 반 데어 로에는 라이트를 이렇게 평했다. "그의 생각의 대담성, 행동의 독창성에 대해 우리는 점점 더 감탄할 뿐이다. 그의 작품에서 느껴지는 역동성은 시대를 뛰어넘어 사람들을 흥분시켰으며, 우리는 훌륭한 재능을 타고난 한 사람의 작품들이 자연에 의해서 재탄생되는 것을 경이롭게 바라보게 된다. 그 끊임없이 성장하는 힘에 있어 그는 광활한 풍경 속에 우뚝 선 거목과 같다."

괴테(Johann Wolfgang von Goethe, 1749-1832)는 "건축이란 얼어붙은 음악이다"라고 했다. 그러나 라이트는 건축을 살아 있는 뜨거운 예술로 승화시켰다.

라이트는 "사람이 진정으로 자신에게 솔직하다면 인생의 세 가지에 대해 자유를 누릴 권리를 갖고 있다. 그것은 삶과 일과 사랑이다"라는 말을 남겼다.

라이트가 삶의 중간 지점인 65세 때 쓴 《자서전》(1932)에는 화려한 사생활과 건축가로서의 작업 세계에 대한 내밀한 고백이 담겨 있다. 그의 강의와 집필 활동을 한 권의 책으로 모아 놓은 책 《건축의 미래》(1953)는 라이트의 건축 철학을 잘 보여주고 있다. 그는 말했다. "자연을 관찰하라, 자연을 사랑하라, 자연과 가까이 하라. 자연은 절대로 배신하지 않을 것이다."

라이트는 20세기 건축사에서 가장 위대하고 영향력이 큰 건축가로 평가받지만, 개인적으로는 스캔들의 주인공이었고 또 그가 남긴 작품들은 숱한 논쟁의 대상이었다.

그는 자신의 행동과 작품이 논쟁의 중심이 될 것임을 예측한 듯했다. "나는 생애 초기에, 내 식으로 오만하지만 정직하게 살 것인가, 아니면 고분고분하고 겸손한 척 위선적으로 살 것인가, 하는 것 중에 선택했어야만 했다. 나는 정직한 오만(honest arrogance)을 선택했고 지금까지 그 선택에는 변함이 없다."

그런 주장은, 성장기부터 고난과 역경 속에서도 건축에 대한 강한 신념과 인내를 잃지 않고 일관된 자기 자신의 건축세계를 구축한 건축탐구 정신이기도 하지만, 미국의 뉴 프론티어 사상, 즉 개척정신과도 같은 맥락이었다.

# 파블로 카잘스

*Pablo Casals*

97세(1876–1973)

"95세인 지금도 연습을 통해
조금씩 나아지고 있다네."

## 첼로의 성자, 첼로의 성서를 발견하다

어떤 분야에서 뛰어난 사람에게 경의를 표하려고 붙인 칭호가 차츰 많은 사람들의 공감을 얻게 되고, 그래서 일부의 반대와 이견을 잠재우고 그 칭호가 당연시되는 경우가 종종 있다. 음악 애호가들은 파블로 카잘스(Pablo Casals)를 '첼로의 성자'로 부른다. 그러면 첼로의 성서는? 바흐의 무반주 첼로 모음곡이다. 오랜 세월 동안 잠자고 있던 첼로의 성서를 찾아낸 사람이 바로 카잘스이다.

카잘스는 1876년 스페인 바르셀로나 남쪽 카탈로니아 지방 엘 벵드렐(El Vendrell)에서 태어났다. 아버지는 교회의 오르가니스트였고 어머니는 그 제자였다. 카잘스는 네 살부터 아버지에게서 오르간과 피아노를 배우기 시작했고, 일곱 살에는 어떤 곡이라도 오르간 곡으로 편곡해내는 재능을 보였다. 모든 악기를 다 연주하고 싫어하는 카잘스에게 아버지는 열한 살이 될 때까지 오르간과 피아노와 바이올린 등을 가르쳤다.

카잘스가 열한 살 무렵, 카잘스 부자는 유명한 첼리스트 호세 가르시아의 연주를 함께 들었다. 카잘스는 그때 첼로를 처음 보았지만, 첫악장 첫번째 음이 나오는 순간 첼로가 만드는 소리가 너무나 부드럽고 아름답고 또 인간적이어서 거의 숨을 쉴 수 없었다. 연주회가 끝나자 카잘스는 "아빠, 첼로야말로 내가 연주하고 싶은 악기예요"라고 말했다. 그날 아버지는 풀사이즈 첼로를 사주었고, 그때부터 평생 카잘스는 첼로와 함께 살았다.

카잘스는 호세 가르시아에게서 최초이자 마지막으로 첼로를 배웠는데, 배운지 3년 만에 스승을 능가하는 첼리스트가 되었다고 전해진다. 청출어람(靑出於藍)인 셈이다. 카잘스는 가르시아에게 배운 첼로 주법보다는 자신이 고안한 운지법(運指法)이 훨씬 연주하기 쉽고 또 소리도 좋다는 것도 알았다.

## 바흐의 무반주 첼로 모음곡

1889년 카잘스는 바르셀로나의 어느 고서점에서 우연히 바흐의 무반주 첼로 모음곡 악보를 발견했다. 그의 나이 13세 때였다. 1720년경 바흐가 작곡한 여섯 곡의 무반주 모음곡은 바흐가 사망한지 200여 년 동안, 왕자를 기다리는 '잠자는 숲속의 공주'처럼 먼지 속에 잠자고 있었던 것이다.

이 곡의 발견은 카잘스의 인생에서 커다란 의미를 갖게 해주었다. 카잘스는 흥분 속에 이 곡을 매일 연구하고 또 연습했지만 그중 한 곡이라도 무대에 올릴 용기가 생기지 않았다. 12년간 연구하고 연습한 끝에 카잘스는 드디어 공개 연주를 했다. 공개 연주를 한 지 35년이 지난 1936년, 60세의 카잘스는 이 곡을 녹음하기 시작하여 3년 만에 석 장의 전집 레코드를 발매했다. 그는 여섯 곡의 특성을 각각 제1번 낙관적, 제2번 비극적, 제3번 영웅적, 제4번 장중함, 제5번 격정적, 제6번 목가적이라고 표현했다.

첼로 음악에 있어 카잘스의 공적은 첼로의 성서를 발굴했다는 것 외에 중요한 한 가지가 더 있다. 첼로의 운지법을 새로 고안했다는 사실이다. 카잘스가 아니었다면 첼로는 지금과 같은 솔로 악기로 발전하지 못했거나 적어도 한참 늦었을는지도 모른다. 〈신세계 교향곡〉의 작곡가 드보르작(Antonin Leopold Dvorak, 1841-1904)은 "첼로라는 악기는 마음에 들지 않는다. 중음역은 훌륭하지만 저음역은 붕붕거리기만 하고 고음역은 코 막힌 소리가 난다"라고 했다. 그런 점에서 보면 카잘스는 드보르작의 말을 20세기에 와서 극복한 사람이었다.

## 파리에서의 절망

1895년 19세의 카잘스는 파리에서 성공적으로 데뷔했다. 그가 도착했을 무렵, 파리는 예술분야에서는 찬란한 빛을 발했지만 동시에 **드레퓌스 사건**(L'affaire Dreyfus)과 같은 사회적 부조리로 뒤숭숭했다. 세기말 세계 예술의 중심지 파리에는 뛰어난 작가들, 화가들, 음악가들이 기량을 뽐내고 있었다.

카잘스는 드가(Degas), 앙리 베르그송(Henri Bergson), 라벨(Ravel), 생상(Saint-Saens), 그리고 10년 후 1905년 카잘스 트리오의 멤버가 되는 바이올리니스트 자크 티보(Jacques Thibaud), 피아니스트 알프레도 코르토(Alfredo Cortot) 등과 교유했다.

그러나 제1차 세계대전의 비극은 카잘스를 절망에 빠뜨렸고 자살 직전까지 몰고 갔다. 1919년 전쟁이 끝난 후 카잘스는 고향 바르셀로나로 돌아와 사재를 털어 관현악단을 조직했다. 그는 관현악단의 운영비를 자신의 첼로 연주 개런티로 메우며, 세계적인 작곡가와 지휘자들을 초빙하여 관현악단을 키워나갔다. 이런 활동들은 애향심에서 비롯된 것이기도 했지만 "음악은 특정인의 것이 아니라 만인의 것"이라는 카잘스의 음악관에 따른 것이었다.

■ ■ ■

**드레퓌스 사건**

1894년 12월 프랑스 참모본부 소속 유대인 포병대위 A. 드레퓌스는 독일 스파이 혐의로 체포되어 남아메리카 기아나 앞바다의 한 섬에 유형(流刑)을 당한다. 유죄의 근거는 미리 제출된 비밀문서에 의한 것이었다. 반유대주의 신문이 반유대주의 운동의 일환으로 기사화함으로써 사건은 세상에 널리 알려지게 되었다. 한편, 드레퓌스의 형 마티우는 무죄를 확신하고 구명활동을 전개했다. 지식인의 일부가 도와주기 시작했지만, 미약한 상태였다. 드레퓌스 지지파는 소수에 지나지 않았고, 표면적으로는 반(反)드레퓌스파가 우세했다. 반드레퓌스파에는 반유대주의, 애국주의적 우익, 강력한 군부에 독일에 대한 복수를 주장하는 군국주의자 등 온갖 세력이 합세했다. 반유대주의적 애국주의는 대중에게도 어느 정도의 지지를 받게 되었다. 구명운동이 거의 좌절된 1898년 1월, 에밀 졸라가 <나는 고발한다>는 제목으로 대통령에게 보내는 공개서한을 발표하면서 큰 반향을 불러일으켰다. 졸라의 서한과 구명운동 과정을 통해서 드레퓌스의 무죄가 명백해졌다. 그러나 사건은 이미 단순한 개인이 억울하게 죄를 뒤집어썼다는 문제를 넘어 정치쟁점화되었다. 유죄의 증거가 되었던 문서가 위조된 것으로 밝혀지고 위조자인 앙리 대령이 자백한 직후 의문사하자 여론은 더욱 들끓었다. 권위를 사수하려는 군의 상층부는 1899년 8월 말 개최된 재심군법회의에서도 다시 유죄를 선고했다. 그러나 루베 대통령은 즉시 특별사면을 함으로써 여론을 가라앉혔다. 그에 대한 완전한 복권은 1906년 7월 최고법원이 무죄판결을 함으로써 이루어졌다. 이 사건은 지식인과 매스컴이 정치, 사회에 큰 역할을 하는 전환점이 되었다.

## 노동자를 위한 연주를 하다

카잘스는 육체노동자들이 노동을 하듯이 첼로를 연습했다. 그는 실제로 자신을 육체노동자라고 표현했다. 카잘스는 자신의 연주를 듣는 청중들이 시간적으로 여유롭고 잘사는 사람들이라는 것을 잘 알고 있었다. 노동자들은 비싼 입장권을 살 형편이 못되었고, 설령 표를 산다 해도 값싼 통로 좌석이 그들의 현실이었다.

카잘스는 '노동자에 의한 노동자를 위한 음악회'를 열고 싶었다. 꿈은 현실로 나타났다. 1928년 그는 바르셀로나 올림피아 극장에서 제1회 노동자 음악회를 열었다. 2000명 이상의 노동자들이 모였고 남루한 옷차림의 사람들을 보며 카잘스는 벅찬 순간을 경험했다.

카잘스 관현악단은 약 10년 동안의 활약을 끝으로 해체되어야 했다. 1936년 7월, 비극의 스페인 내전 때 파시즘의 지지를 받은 프랑코(Francisco Franco, 1892-1975)가 이끄는 내란군이 바르셀로나를 점령했고, 카잘스는 열렬한 왕당파였기 때문이었다. 카잘스는 이때 베토벤의 교향곡 9번을 연습하고 있었는데, 단원들에게 조국에 평화가 찾아오면 다시 이 곡을 연주하자고 약속하고 남프랑스의 프라데(Prades)로 망명했다. 그러나 이들에게 베토벤 교향곡 9번을 연주할 기회는 끝내 찾아오지 않았다.

스페인 내전이 결국 프랑코가 지휘하는 파시스트의 승리로 끝나자 카잘스는 스페인을 탈출한 망명자들을 돕기 위하여 프라데에서 온갖 힘을 기울였다. 많은 사람들이 카잘스에게 미국으로의 이

케네디의 초청으로 열린 백악관 연주회(1961)

민을 권유했지만 그는 미국이 프랑코 총통의 스페인을 승인했다는 이유로 미국 이민을 거부했다. 뿐만 아니라 1947년 "프랑코가 스페인을 지배하는 한 공개적인 연주를 거부한다"는 성명을 발표하고 무대를 떠났다. 이 때문에 10년 동안 그의 첼로 연주를 들을 수 없게 되었다.

당시 영국의 상무장관이던 스테포드 크리프스 경이 영국이 프랑코 정권을 승인한 이유를 해명하겠다며 그를 초대하자 카잘스는 "그들은 정치를 말할 속셈이지만 나에게는 원칙이 중요해"라며 영국의 초대에도 응하지 않았다.

카잘스와 마르타

## 내가 연습하는 이유

1956년 80세의 카잘스는 어머니의 고향 푸에르토리코로 거처를 옮겼다. 푸에르토리코 정부와 푸에르토리코 대학은 카잘스 음악 축제를 조직했다. 카잘스가 푸에르토리코의 수도 산후안에서 열리는 음악제에 온 힘을 쏟은 결과 축제는 성황을 이루었다.

카잘스는 매일 새로 태어나는 기분으로 하루를 시작했다. 아침에 일어나면 우선 피아노를 열고 바흐의 프렐류드와 푸가 중 두 곡을 골라 연주했다. 그것은 사람 사는 집에 내리는 축복의 소리였다. 카잘스는 늘 이렇게 말했다. "나는 모든 음악을 사랑하지만 바흐 아닌 다른 작곡가의 음악으로 하루를 시작할 수 없다."

카잘스는 80세 때 60년 연하인 스무 살의 제자 마르타 마르티네즈와 결혼했다. 그에게는 네 번째 결혼이었다. 카잘스는 나이 차이를 의식했던지 주변 사람에게 "신랑의 나이가 장인의 나이보다 30세나 많은 경우는 흔치 않지"라고 엉뚱하게 둘러댔다.

어린 아내를 맞이하여 카잘스는 16년간 행복한 결혼생활을 했고, 1973년 10월 23일 97세를 두 달 앞두고 세상을 떠났다. 카잘스가 숨을 거두면서 마지막으로 들었던 음악도 바흐의 곡이었다. 카잘스가 자신의 아들처럼 아끼고 좋아했던 피아니스트 유진 이스토민(Eugene Istomin)이 가잘스의 마지막 가는 길을 위해 바흐를 연주했다.

카잘스가 세상을 뜬 지 2년 뒤 49세의 노총각 제자 이스토민은 스승의 젊은 미망인 마르타와 결혼했다. 그리고 두 사람은 스승과 남편이 시작한 카잘스 음악축제를 계속 이어갔다.

카잘스는 노년에 들어선 후에도 종종 "자신의 생애에 은퇴라는 말은 없다"고 말하곤 했다. 가치 있는 일에 흥미를 잃지 않고 정진할 수 있는 것은 노화를 막는 최고의 약이라고 강조했다.

어느 기자가 95세의 카잘스에게 물었다.

"선생님께서는 역사상 가장 위대한 첼리스트로 손꼽히는 분입니다. 그런 선생님께서 아직도 하루에 여섯 시간씩 연습을 한다고 들었는데, 이유가 무엇입니까?"

카잘스는 활을 내려놓고 대답했다.

"왜냐하면 나는 지금도 연습을 통해 조금씩 발전하고 있다네."

# 모차르트의 미망인 콘스탄체

*Constanze Weber*

80세(1762–1842)

"나는 모차르트의
미망인이다."

## 미움과 오해를 한몸에 받았던 여인

서양음악사에서 가장 사랑을 받는 여인은 누구일까? 또 서양음악사에서 가장 미움을 받는 여인은 누구일까?

첫번째 질문의 대답으로는 슈만의 아내 클라라, 비운의 소프라노 마리아 칼라스, 그 외에도 개인의 선호도에 따라 많은 후보가 있을 것이고 또 우열을 가리기가 쉽지 않을 것이다. 반면 두 번째 질문의 답으로는 사치와 낭비가 심했던 모차르트의 미망인 콘스탄체, 쇼팽을 버린 조르주 상드, 하이든의 악처 마리아 안나 등을 손꼽을 수 있겠다. 그 중에서도 모차르트의 미망인 콘스탄체가 단연 선두에 자리할 것이다.

음악사에서 숭앙받는 천재와 삶을 나눈 여인 콘스탄체는 어떤 인물인가? 그녀는 9년의 결혼 생활 동안 여섯 번 임신하고 네 아이를 잃는 슬픔을 겪었다. 그 동안 스무 번 가량 이사를 다녔고 끊임없이 경제적 위기에 몰렸으며, 결국 젊은 나이에 과부가 되어 어린 두 아들과 빚더미만을 떠안은 채 홀로 삶을 헤쳐 나가야 했다. 결국에는 모차르트가 남긴 빚을 모두 갚았고, 모차르트의 음악을 널리 알렸으며, 평범한 자식들이 그 이름을 훼손하지 못하도록 했으며, 전기 작가를 통해 모차르트의 삶에 대한 기록도 남겼다. 비로소 콘스탄체는 오해와 시기와 비난으로부터 자유로울 수 있었다.

## 베버가의 여인들

1778년 1월 초, 갓 20대의 청년이 만하임의 프리돌린 베버의 집 현관문을 두드렸다.

"베버 선생님 계신가요? 악보를 급히 복사할 일이 있습니다."

문이 열리며 40대 중반의 침착한 남자 목소리가 들려왔다.

"누구나 그렇게 말하지요. 그런데 댁은 누구신가요?"

"제 이름은 모차르트입니다."

모차르트(Wolfgang Amadeus Mozart, 1756-1791)는 더 좋은 일자리를 구하기 위해 잘츠부르크의 궁정 수석연주자 직에서 물러나 어머니와 함께 파리로 가는 도중이었다. 그는 여행경비를 벌기 위해 공개연주회를 열거나 주요 도시에서 영주를 알현하고 연주를 했다. 영주들은 10여 년 전 신동 모차르트가 유럽을 순회하며 보여준 천재적 솜씨에 박수를 보냈지만 지금은 추억으로만 남아 있을 뿐, 22세의 모차르트는 일자리와 돈벌이에 급한 청년에 불과했다.

모차르트는 만하임에 잠시 체류중이던 1778년 1월 하순, 네덜란드의 오렌지 공 윌리엄 5세의 누이 카롤리나 공주가 개최하는 음악회에 참석할 예정이어서 악보를 몇 부 복사하기 위해 필경사인 프리돌린 베버(Franz Fridolin Weber, 1733-1779)의 집을 찾아온 것이다.

프리돌린 베버는 필경사 일 말고도, 무대 위의 배우가 대사나 동작을 잊었을 때 대사를 가르쳐주고 동작을 지시해 주는 프롬프터(prompter) 일을 하거나, 간혹 오페라나 합창단에서 베이스 가수로 노래를 부르는 등 이것저것 일을 해서 가족을 먹여 살리고 있는 넉넉지 못한 가장이었다. 게다가 몸도 허약했다.

프리돌린 베버의 조상은 1622년 신성로마제국 황제 페르디난트 2세로부터 이름 앞에 'von'을 쓸 수 있는 귀족 지위를 부여받았지만 프리돌린은 가세가 기울자 자신의 이름 앞에 'von'을 사용하지 않았다. 그러나 친동생 안톤 베버(Franz Anton von Weber, 1734-1812)는 'von'을 사용했는데, 그가 〈마탄의 사수〉를 작곡한 칼 마리아 폰 베버(Carl Maria von Weber, 1786-1826)의 아버지였다.

베버는 아내 체칠리아 사이에 딸만 넷을 두었다. 맏딸 요제파는 20세, 둘째 알로이지아는 18세, 셋째 콘스탄체는 16세, 막내 조피는 15세로 모두 미혼이었다. 네 딸 모두 민요, 찬송가, 크리스마스 캐럴 등 노래를 잘 불렀다. 특히 알로이지아는 아리아를 제대로 불렀다.

모차르트는 베버의 집을 방문하면서 음악을 매개로 네 딸은 물론이고 베버 집안 사람들과 친해졌다. 특히 알로이지아가 노래할 때면 모차르트는 피아노 반주를 하며 추켜세웠다. 칭찬도 점점 더 많아졌는데, 칭찬은 사실이기도 했다.

"잘합니다… 아주 잘해요… 진짜 프리마돈나입니다."

1월 23일, 필경사 프리돌린 베버와 둘째딸 알로이지아, 모차르트 세 사람은 카롤리나 공주의 저택에서 개최된 연주회에 참석했다. 모차르트는 피아노 연주를, 알로이지아는 모차르트의 반주에 맞춰 모차르트가 작곡한 아리아 두 곡을 불렀다. 청년 모차르트는 연주 여행 내내 알로이지아 생각뿐이었다. 베버는 과년한 딸 알로이지아가 혼자 외출하는 것을 절대 허락하지 않았지만, 젊은 두 남녀가 잠깐 동안 눈 덮인 들판을 단둘이 산책하는 것을 눈감아 주었다. 두 사람의 첫 만남은 그렇게 헤어졌다.

모차르트의 파리 여행은 완전히 실패였다. 일자리도 구하지 못했고 어머니마저 병으로 세상을 떠났다. 귀향길에 오른 모차르트는 알로이지아를 만나기 위해 만하임으로 갔다. 그러나 알로이지아가 뮌헨 궁정악단에 취직하게 되고, 베버 가족은 모두 뮌헨으로 이사를 갔다. 1778년 12월 25일, 모차르트는 뮌헨의 프리돌린 베버의 집에서 알로이지아에게 사랑을 고백했다. 그러나 가수로서 성공을 꿈꾸고 있는 알로이지아는 키가 작고, 짙은 머리숱에다 창백한 얼굴을 가진, 미래가 불투명한 청년 작곡가에게 더 이상 관심이 없었다.

"모차르트 씨, 다시 잘츠부르크의 궁정에서 일하게 된다면 얼마나 받게 되지요?"

"베르사유에서 제의받은 오르가니스트 자리인 400플로린은 받을 겁니다."

"저는 이곳 뮌헨에서 천 플로린을 받고 있는데다, 빈 궁정극장에서 제의가 들어와 있어요."

모차르트는 그녀의 행운을 빌면서 연주용 아리아 〈불멸의 신들이여, 저는 바라지 않습니다, K316〉를 선물하고 작별 인사를 했다.

## "나는 짐을 운반하는 일을 하기 위해 태어난 사람이 아니다"

1781년 초, 잘츠부르크 영주인 콜로레도 대주교는 한해 전 11월 29일 서거한 마리아 테레지아 여제의 추모행사와 아버지의 병환 때문에 빈에 상주하고 있었다. 콜로레도 대주교는 빈에 머무는 동안, 일명 튜튼 기사단(Teutonic Order)으로 불리던 독일기사단 거주지에 소규모 궁전을 꾸미고 카스트라토, 바이올리니스트, 작곡가 등 음악가들을 대동하고 있었다. 1781년 3월 16일, 모차르트는 빈의 콜로레도 대주교 궁전으로 호출되어 갔다.

콜로레도 궁전의 음악가들은 시종과 요리사들과 숙식을 함께 했는데, 모차르트도 예외는 아니었다. 모차르트는 주방 감독관 아르코 백작의 지시에 일일이 따라야 했고, 시종, 요리사, 제과사 등과 숙소를 함께 사용해야 했기 때문에 몹시 분개했다. 신성로마제국의 마리아 테레지아 여제와 요제프 2세 황제, 교황 클레멘트 14세와 프랑스의 루이 15세, 영국의 조지 3세, 그리고 수많은 귀족 앞에서 연주했고 또 갈채를 받는 것에 익숙했던 모차르트로서는 참기 힘든 대접이었다.

1781년 6월 8일, 콜로레도 대주교가 모차르트에게 말했다.

"잘츠부르크로 돌아가야겠네. 모차르트, 이 짐은 자네가 갖고 가게."

"전하, 저는 음악가이지 짐을 운반하는 하인이 아닙니다. 내일, 사직서를 제출하겠습니다."

그날은 모차르트가 군주 콜레로도 대주교와 아버지 레오폴트의 명령과 지시로부터 자유를 찾은 날이었다. 콜로레도 대주교는 갑자기 머릿속이 복잡해졌다. 지난 세월이 필름처럼 돌아갔다. 사람들은 조상 대대로 신분에 맞게 복종의 미덕을 실천하며 살아오지 않았던가. 자신은 윗사람에게 얼마나 많은 비굴함을 공손함으로 포장하여 감추어 왔는데…. 그런데 한낱 음악가인 주제에, 충실한 종의 역할이라고는 해본 적도 없는 놈이, 감히 나도 할 수 없는 일을 하다니!

훗날 콜로레도 대주교는 80세로 생을 마칠 때까지 자신은 '모차르트를 모욕하지 않았다'는 주장을 되풀이해야만 했다. 콜로레도 대주교가 '잘츠부르크에게 좋은 것은 신성로마제국에도 좋다'는 관점에서 모차르트를 잘츠부르크에 데려가려 한 것이지 모차르트를 핍박하려는 의도가 없었다고 아무리 해명해도, 사람들은 콜로

레도 대주교가 모차르트를 하인 취급했다고 생각했다.

비록 궁정음악가이지만 평생 하인 신분으로 살았던 모차르트의 아버지 레오폴트나 모차르트와 친분이 있던 하이든 같은 음악가들은 상상도 못할 일이었다. 모차르트의 아버지는 영주의 허가가 없으면 한발짝도 여행을 하지 못했다. 당시 음악가를 채용하는 구인광고는 다음과 같은 식이었다.

"음악가 한 명을 구합니다. 시종 노릇을 겸할 수 있는 사람이면 더욱 좋겠습니다."

모차르트가 빈에서 보낸 마지막 10년, 즉 1781-1791년 사이의 유럽은 혼란과 변화의 시대였다. 당시 유럽은 산업혁명과 정치혁명, 즉 소위 이중 혁명이 일어나고 있었고 잦은 전쟁으로 혼란스러운 시기였다. 사상적으로는 계몽주의가 확산되고 그 영향을 받은 **프리메이슨**이 가톨릭교회가 접근하지 못한 틈새를 파고들고 있었다. 그리고 모차르트보다 13년 뒤에 태어난 나폴레옹이 유럽을 제패하기 시작하는 시기였다.

산업혁명이 진행되면서 등장한 부유한 상인과 부르주아들은 독립 음악가 모차르트의 연주를 즐겨 들었다. 하지만 1784년 모차르

■ ■ ■

**프리메이슨(Freemason)**

16세기 말~17세기 초에 생긴 박애주의를 지향하는 우애 단체. 1717년 중세 유럽에 퍼져 있던 건축업에 종사하던 석공들의 길드를 중심으로 생겨난 것으로 알려져 있다. 프리메이슨이란 명칭도 석공을 뜻하는 '메이슨(mason)'에서 유래했다. 프리메이슨은 엄밀하게는 각 회원들을 가리키는 말이며, 단체명은 프리메이슨리(Freemasonry)이다. 연장과 용구를 상징으로 사용한다.

18세기에 들어 인권과 사회 개혁을 추구하는 엘리트들의 사교클럽으로 발전하여 본격적으로 유럽 각국과 미국으로 확산되어, 각계의 유명인사들과 개신교 신자들이 대거 이 단체에 가입했다. 근대에 들어서면서 계몽주의 사조에 호응하여 자유주의적, 개인주의적, 합리주의적 입장을 취했다. 기독교 조직은 아니지만 도덕성과 박애정신 및 준법을 강조하는 등 종교적 요소를 포함하면서 기존 종교 조직, 특히 로마 교황청을 주축으로 하는 로마 가톨릭의 탄압을 받게 되어 지금과 같은 비밀결사적인 성격을 띠게 되었다. 국가 또는 지역 단위의 그랜드 롯지(Grand Lodge) 밑에 몇 개의 롯지를 두고 회원 상호간의 우호와 정신함양 및 자선과 박애 사업을 하는 세계동포주의, 인도주의 단체를 표방한다. 회원 수는 전세계에 약 570만 명 정도이며, 조지 워싱턴, 링컨, 시어도어 루스벨트, 리처드 닉슨, 빌 클린턴 등 미국의 전직 대통령들과 영국의 윈스턴 처칠 총리, 프랑스의 계몽주의 사상가 몽테스키외, 스탕달, 볼테르 등과 모차르트가 프리메이슨 회원으로 알려져 있다.

트가 개최한 유료 연주회에 등록한 174명의 청중들 중에 부르주아, 즉 중산층으로 분류될 사람은 겨우 8퍼센트였다. 모차르트가 활동하던 시기는 독립 자유 음악가로서 살아갈 수 있는 환경이 아니었다. 그런 시대 분연히 군주에게 '아니오'라고 말한 모차르트는 평범한 음악가가 아니라 음악 혁신가(music innovator)였던 것이다.

## 유명한 것과 잘사는 것은 항상 일치하지 않는다

뮌헨에서 빈으로 이사를 온 베버 가족은 프리돌린 베버가 사망한 후 미망인 체칠리아와 딸들은 빈의 상트 페터 대성당 근처에서 하숙집을 운영하며 살고 있었다. 콜로레도 대주교에 대항해 궁전을 뛰쳐나온 모차르트는 숙식을 해결하기 위해 체칠리아 부인의 하숙집으로 갔다. 모차르트는 그곳에서 막 외출하려던 알로이지아 부부를 만났다. 알로이지아는 연봉 1,700플로린을 받으며 유명 가수가 되어 있었다. 알로이지아는 미남 배우 남편을 자랑스럽게 소개했다.

"어머 모차르트 씨, 제 남편 요제프 랑게예요. 여긴 어쩐 일로?"

"콜로레도 대주교가 자신의 빈 궁전에서 나가라고 해서 머물 곳을 찾고 있는 중이오."

그날 모차르트는 체칠리아의 하숙집에서 방을 하나 얻었다. 만하임에서부터 안면이 있는 셋째딸 콘스탄체가 모차르트에게 말했다.

"영주에게 대항하고 나오다니 정말 용기가 대단해요."

콘스탄체(Constanze Weber, 1762-1842)는 미인은 아니었지만 모차르트는 그녀에게 차츰 호감을 갖기 시작했다. 알로이지아의 동생이라는 점이 작용했는지도 모른다. 반대로 콘스탄체는 언니를 사랑했던 남자였기 때문에 그를 좋아했는지도 모른다. 레오폴트가 모차르트 남매를 잘 키운 것처럼, 프리돌린 베버도 네 딸을 잘 키웠다. 딸들은 모두 아버지의 음악성을 물려받아 오페라 가수로 활약했고 요제파와 알로이지아는 모차르트의 오페라 초연에도 등장했다.

모차르트는 이따금 콘스탄체와 공원 산책을 즐겼다.

"아버지는 지금도 편지로 내가 잘츠부르크로 돌아와 대주교에게 용서를 청하라고 해요."

"당연히 아버지의 말씀을 따르셔야죠."

"아니오. 아버지의 명령, 지시, 감독은 끝났어요. 나의 길을 갈 겁니다."

모차르트는 콘스탄체와 결혼할 생각을 하고 아버지에게 편지를 썼다.

'저는 요즘 세상의 젊은이들처럼 살고 싶지 않습니다. 저는 창녀들과 어울려 지내다가 신세를 망치는 일을 생각하면 공포와 치욕을 느낍니다. 성병으로 인한 위험과 두려움 때문에 저는 건강에 몹시 신경을 쓰고 있습니다. 저는 매우 진지한 감정으로 한 순진한 처녀를 사귀고 있습니다.'

1781년 12월 15일, 모차르트는 체칠리아에게 말했다.

"체칠리아 부인, 콘스탄체와 결혼하고 싶습니다."

이때 콘스탄체의 법적 후견인 요한 폰 토르바르트(Johann von Thorwart)가 끼어들었다. 그는 오스트리아의 궁정 관료로서 궁정 극장의 재정 책임자였다.

"잘 알고 계시겠지만, 만 24세가 넘어야 성년이 되는데, 콘스탄체는 만 19세입니다. 성년이 되려면 아직 멀었지요. 결혼은 중대사입니다."

요한 토르바르트는 체칠리아 부인과 잠시 의논한 후 작성한 문서를 모차르트에게 보여주었다. 모차르트는 3년 안에 콘스탄체와 결혼할 것을 약속하며, 어떤 사유든 약속을 지키지 못하면 모차르트가 매년 300플로린을 위로금으로 지급한다는 내용이었다. 이런 류의 계약서는 당시 빈에서는 흔한 일이었다. 체칠리아 부인이 모차르트에게 펜을 내밀었다. 그때 옆에서 보고만 있던 콘스탄체가 눈물을 글썽이며 온몸을 후들후들 떨더니 어머니의 손에서 펜을, 모차르트의 손에서 문서를 낚아채고는 찢어버렸다. 콘스탄체는 옷가지와 간단한 짐을 꾸려 어머니의 하숙집을 나와버렸다. 모차르트는 콘스탄체를 후원자 발트스테텐(Martha Elisabeth Waldstatten) 백작부인 댁으로 데리고 갔고, 백작부인은 기꺼이 숙식을 제공했다.

체칠리아 부인은 인생의 협상에 매우 능숙했다. 콘스탄체와 모차르트 사이의 결혼 문제를 조속히 해결하기 위해 한 가지 계책을 생각했다. 토르바르트를 보내 모차르트가 혼인계약서에 서명하지 않으면 경찰에 간통으로 고소하겠다고 위협했다. 모차르트는 곧 계약서에 서명했고, 계약을 이행하지 못하면 매년 300플로린을 지급한다는 내용에 동의했다.

이듬해 1782년 1월 1일, 발트스테텐 백작부인은 콘스탄체를 달래 집으로 돌려보냈고, 체칠리아는 돌아온 딸을 반갑게 포옹했다. 옆에 있던 모차르트가 말했다.

"아버지가 허락하시는 대로 결혼식을 올릴 것입니다."

돈 없이 사랑만으로 산다는 것이, 그리고 불안정한 음악가의 삶이 어떤 것인지를 잘 아는 체칠리아 부인이 냉정하게 말했다.

"내 딸을 가난한 음악가에게 줄 생각이 없으니까, 열심히 돈이나 벌어요."

콘스탄체가 끼어들었다.

"어머니, 모차르트는 유명한 작곡가예요!"

"유명한 것과 잘사는 것은 항상 일치하는 것은 아니야."

8월 4일, 모차르트와 콘스탄체는 아버지 레오폴트의 허락과 축복도 없이 상트 스테판 대성당 엘리기우스 소성당에서 결혼식을 올렸다. 결국 레오폴트는 결혼 허락을 했다. 그러나 허락과 축복의 말은 결혼식 뒤에 도착했다.

신혼 초 콘스탄체의 행복감은 그다지 오래 가지 않았다. 모차르트가 알로이지아를 위해 〈그대는 모르리, 어떤 괴로움인지, K. 416〉를 작곡했기 때문이다. 질투가 끓어올랐다. 두 사람 관계가 단순히 여가수와 작곡가 사이라고만 볼 수 없었다.

모차르트는 아버지에게는 결코 흡족한 며느리라고는 할 수 없는 콘스탄체와 함께 고향에 가기로 결정하고, 태어난 지 6주 된 첫아이를 유모에게 맡기고 잘츠부르크로 떠났다. 그러나 두 사람이 돌아왔을 때 아이는 죽어 있었다. 그것은 시작이었다. 모차르트 부부는 모두 6명의 아이를 낳았지만 2명만 살아남았다.

1789년 7월 9일, 파리에서는 만여 명의 시민들이 자유, 평등, 박애를 주장하며 대규모 시위를 벌였다. 7월 14일 바스티유 감옥이 시민들에 의해 열렸다. 모차르트는 프랑스 대혁명을 전후로 하여 〈후궁 탈출〉(1782), 〈피가로의 결혼〉(1786), 〈돈 조반니〉(1787), 〈코지 판 투테〉(1790), 그리고 〈티토 황제의 자비〉(1791) 등을 발표했지만 〈피가로의 결혼〉을 제외하고는 흥행에서는 성공을 거두지 못했다. 큰 성공은 죽기 직전 무대에 올린 〈마술피리〉(1791)였다. 그러나 성공은 너무 늦게 찾아왔다.

1791년 12월 5일, 0시 55분. 모차르트는 626번째 작품 〈레퀴엠〉을 미완성으로 남겨둔 채 35년 11개월의 짧은 생을 마쳤다.

## 음악 기업가, 콘스탄체

모차르트가 사망했을 때 콘스탄체는 9년간의 결혼생활을 끝낸, 29세의 젊은 과부였다. 그녀의 양 손에는 일곱 살 카를 토마스와 4개월짜리 프란츠 사버가 매달려 있었다. 모차르트는 유언장을 남기지 않고 죽었기 때문에 유산 정리와 각종 채권, 채무에 대한 처리는 모두 콘스탄체가 떠안아야 했다. 주요 채권자들은 양복점 주

인, 약사, 의사, 사채업자 등이었다.

콘스탄체는 채권자들로부터 채권신청서를 받아 각종 대출과 채무를 변제했고 그래도 남은 빚은 나중에 재정상황이 호전되자 모두 갚았다. 생전에도 그랬지만 모차르트가 사망한 후 빈과 유럽의 주요 도시에는 모차르트에 대한 악소문이 많이 돌았다. 콘스탄체가 생계를 해결하기 위해 엉터리 작곡가의 작품을 모차르트의 작품으로 속여 판매한다는 소문도 나돌았다. 콘스탄체를 가장 괴롭힌 것은 호프데멜 사건이었다.

모차르트의 장례식이 있던 바로 날, 모차르트에게 피아노를 배우던 23세의 아름다운 부인 막달레나가 남편 프란츠 호프데멜로부터 칼에 찔리는 사건이 발생했다. 임신중인 막달레나는 목숨에는 지장이 없으나, 호프데멜은 자살을 했다. 소문은 그것으로 끝이 아니었다. 호프데멜은 베를린에 가는 모차르트에게 돈까지 빌려주었는데, 그가 자신의 아내를 임신시켰기 때문에 모차르트를 독살했다는 그럴듯한 시나리오가 빈의 살롱을 가득 메웠다.

모차르트 사후 콘스탄체는 두 아들이 세상에 노출되지 않도록 조치하고, 자신은 음악산업에 뛰어들었다. 요제파와 알로이지아 등 빈에서 가수로 유명세를 타고 있던 자매들의 격려와 부추김도 있었다.

콘스탄체는 과거 모차르트 연주회 명단에 한 번이라도 이름을 올린 사람들과 모차르트 후원자들의 일요연주회를 통해 사귄 사람들을 찾아가, '모차르트 미망인과 아이들을 위한 연주회' 초대장을 일일이 돌렸다. 그리고 이렇게 덧붙였다. "제 언니이고 모차르트의 처형인 알로이지아 랑게도 노래해요."

1794년 12월 콘스탄체는 빈에서 콘서트 형식으로 〈티토 황제의 자비〉 연주회를 개최했다. 이날 공연에 참가한 모든 가수들은 출연료를 받지 않았고 공연 수입은 모두 콘스탄체와 유족에게 돌아갔다. 이에 고무된 콘스탄체는 1795년 3월 모차르트의 〈피아노 협주곡 제2번, K. 466〉와 베토벤의 작품 하나를 포함하여 좀 더 규모가 큰 연주회를 개최했다.

1795년 콘스탄체는 또 다른 기업가적 수완을 발휘했다. 오페라 〈이도메네오〉를 피아노판으로 출판하고 신문에 광고를 내는 한편, 10부 가격에 11부를 제공했다. 그리고 라이프치히의 브라이트코프 운트 헤르텔 출판사와 접촉하여 모차르트 전집을 출판하는 계획을 세웠다.

연주회가 성공을 거듭하자 콘스탄체는 본격적으로 음악기업가 정신(music entrepreneurship)을 발휘했다. 과거 시아버지 레오폴트 모차르트가 그랬던 것처럼 유럽 순회 연주여행을 기획하여, 1795년 가을 알로이지아와 함께 베를린, 라이프치히, 함부르크, 린츠, 그라츠를 순회했다. 모차르트를 기억하는 음악 애호가와 일반 청중들에게 모차르트의 미망인 콘스탄체와 한때 유럽 최고의 가수 알로이지아가 출연하는 공연은 성황을 이루었고, 콘스탄체에게 재정적으로 큰 성공을 안겨주었다.

1796년 콘스탄체는 베를린에서 또 한번 음악기업가적 재능을 발휘했다. 프리드리히 빌헬름 2세가 모차르트를 좋아했고 또 모차르트의 악보를 다수 소장하고 있다는 점을 알고는 〈레퀴엠〉 악보를 한 부 들고 빌헬름 2세를 알현했다. 빌헬름 2세는 〈레퀴엠〉 사본 악보 한 부의 대가로 〈레퀴엠〉의 작곡료에 해당하는 400플로린을 하사했다. 게다가 베를린 오페라하우스에서 전속 오케스트라와 함께 전속 가수들의 도움을 받아 〈티토 황제의 자비〉를 협주곡 형식으로 공연할 수 있도록 허락해주었다.

콘스탄체는 자신이 잘하는 부분에 집중하고, 잘하지 못하는 부분은 다른 사람에게 아웃소싱하거나, 전문가의 협력을 받았다. 모차르트 전집 출판은 일찍부터 알고 지내던 멜크 수도원의 수도사 아베 막시밀리안 스타들러(Abbe Maximilian Stadler, 1748-1833)의 도움을 받았다.

콘스탄체는 1796년 무렵 자신의 어머니처럼 부업으로 하숙을 시작했다. 하숙생 중에 그녀보다 한 살 연상의 노총각 게오르크 니콜라우스 니센(Georg Nikolaus von Nissen, 1761-1826)이 있었다. 덴마크 하데르슬레브(Haderslev) 출신의 니센은 빈 주재 덴마크 대사의 수석 비서관으로 신교도이자 작가였다. 그리고 모차르트 음악을 잘 이해하는 사람이었다.

당시는 나폴레옹이 전 유럽을 정복할 때라, 니센과 콘스탄체 역시 나폴레옹 군대를 피해 프레스부르크(지금 슬로바키아의 수도 브라티슬라바)로 갔다. 두 사람은 1809년 6월 26일 그곳 대성당에서 결혼식을 올렸다. 니센은 48세, 콘스탄체는 47세였다. 두 사람은 남은 인생의 좋은 동반자요, 모차르트를 세상에 알리는 일에 협력자가 되었다. 콘스탄체의 두 아들은 기꺼이 새 아버지를 축하했다.

11월 니센의 상관이 세상을 뜨자 니센은 공사 대리로 임명되었고, 기사 작위와 함께 훈장을 받았다. 덴마크 정부의 관점에서 보면, 자식이 둘이나 딸린 가난한 예술가의 미망인이자 가톨릭교도인 콘스탄체는 기사 작위를 받은 신교도 외교관에게 어울리지 않는 배필이었다. 이제 콘스탄체의 이름도 바뀌었다. 콘스탄체는 긴 이름의 명함을 갖고 다녔다. '콘스탄차 폰 니센, 모차르트의 미망인'.

비록 귀족으로 낮은 직위고 또 실익도 없지만 이제 콘스탄체는 덴마크의 귀족부인 콘스탄차가 된 것이다. 1810년 콘스탄체는 30년을 살아온 빈을 떠나 니센과 함께 남편의 고향 코펜하겐으로 갔고, 니센은 다음해 49세에 외교관 직에서 은퇴했다.

## "모차르트 아들은 평범해서는 안 된다"

콘스탄체는 두 아들의 진로 문제에 몹시 신경을 썼다. 15세에 김나지움을 졸업한 큰아들 카를 토마스를 토스카나 해변 지역에 있는 영국인 무역회사의 회계원 조수로 취직시켰다. 그러나 아버지의 피를 받은 카를은 완전히 음악을 떨쳐버리지 못했다.

카를 토마스는 밀라노로 가서 하이든의 추천으로 보니파치오 아지올리(Bonifazio Asioli, 1769-1832)에게서 작곡을 배웠다. 콘스탄체는 레슨 비용을 부담했다. 그러나 카를과 어머니 콘스탄체는 그

모차르트의 두 아들 카를 토마스와 프란츠

가 음악에 장래성이 없다고 생각했다. 콘스탄체는 아들에게 늘 끊임없이 독려의 말을 담아 편지를 썼다.

"모차르트의 아들은 평범해서는 안 된다. 모차르트의 아들들이 평범하다면, 그것은 수치스러운 일이라는 사실을 항상 유념해라."

그후 카를은 밀라노 주재 나폴리 대사관에 근무하면서 음악은 취미생활로 한정했다. 반면 둘째아들 프란츠 사버의 음악 재능은 돋보였다. 콘스탄체는 '프란츠 사버'라는 이름을 '볼프강 아마데우스 모차르트 2세'로 바꾸고, 둘째아들을 모차르트의 후계자로 세상에 천명했다.

콘스탄체는 두 아들에게 최상의 교육을 시켰다. 특히 음악적 재능을 보인 모차르트 2세의 음악 선생은 하이든, 하이든의 제자 노이콤, 살리에리, 훔멜, 그리고 알베르히츠베르거(Johann Georg Albrechtsberger, 1736-1809) 등 빈에서 내로라하는 음악 명사들이었다. 그러나 그 어떤 스승도 모차르트 2세에게서 아버지의 천재성을 이끌어내어 활활 타오르게 하지는 못했다.

1802년 슈타이너 출판사는 11세의 모차르트 2세가 처음 작곡한 피아노 4중주곡을 출간했다. 사람들은 모차르트 2세가 음악적 재능을 타고난 것은 분명하지만, 모차르트가 같은 나이에 작곡한 것과 비교해 천재성이 보이지 않는다는 사실을 깨달았다. 두 아들에게서는 모차르트의 그림자만 얼핏 스칠 뿐이었다.

1805년 4월 8일 저녁, 모차르트 2세는 14세 나이로 테아터 안 데어 빈 극장에서 피아니스트로 데뷔했다. 청중들의 반응은 뜨거웠고 공연 수입은 1,700플로린이나 되었다. 하지만 휴식시간에 청중들은 그날의 주인공 모차르트 2세보다 베토벤이 최근 작곡한 교향곡에 대한 이야기들을 더 많이 화제로 삼았다. 빈 음악무대의 주역은 이미 베토벤과 슈베르트로 넘어가고 있었고 모차르트 2세라는 후광만으로 비집고 들어갈 틈이 없었다. 콘스탄체는 피아노 앞에 앉은 아들이 그동안 배운 것을 착실하게 연주해 보였을 뿐 그 이상은 아니라는 것을 알았다.

그후에 열린 공연에 대한 관객의 반응은 점차 싸늘해졌다. 자신의 재능의 한계와 청중의 분위기를 파악한 모차르트 2세는 아버지의 명성이 남아 있는 유럽의 대도시를 떠나, 음악의 미개척지라 할 수 있는 스페인의 갈리시아(Galicia)로 가서 궁정 음악가가 되었다. 어머니와 두 아들은 뿔뿔이 흩어졌다. 그러나 가족들 간에 정다운 편지는 자주 오갔다.

하지만 모차르트 2세는 그곳에서도 마음을 붙이지 못하고 서부 우크라이나 지역 소도시를 떠돌며, 일정한 직업이 없이 닥치는 대로 가르치고 순회 연주여행을 하며 20년간 살았다. 모차르트의 삶과 유사한 삶이었다.

## 모차르트의 전기를 기록하다

1820년부터 콘스탄체와 니센은 함께 코펜하겐을 떠나 이곳저곳을 여행했다. 불확실한 미래를 향해 떠나면서 콘스탄체가 단 1초도 불평하지 않는 것에 니센은 적잖이 놀랐다.

니센의 쇠약한 몸을 회복하기 위해 두 사람은 주로 온천을 찾아 다녔다. 그러다 뭔가 커다란 일을 해보자는 생각이 들면서 니센은 용기를 얻었다. 모차르트의 생애를 철저하게 조사하여 글로 남기기로 결심한 것이다. 모차르트에게 가장 가까웠던 사람, 바로 지척에서 살았던 사람을 통해 모차르트의 모든 것을 알 수 있는 니센보다 이 일에 더 적합한 사람이 어디 있겠는가.

1821년 11월, 콘스탄체는 밀라노에서 큰아들 카를 토마스를 23년 만에 다시 만났다. 밀라노는 14-15세의 모차르트가 자주 왔고 또 그의 오페라가 공연되었던 곳이기도 했다. 콘스탄체는 큰아들이 결혼식을 올리지 않고 딸 하나만 얻었고, 아이 엄마는 떠나버렸으며, 딸의 이름을 자신의 이름을 따서 콘스탄체라 지어준 것을 알고 놀랐다. 아들에 대한 자신의 사랑이 아직도 여전하다는 것을 확인한 것만으로도 밀라노를 찾아온 이유는 충분했다. 카를이 모차르트가 사용하던 발터 피아노 앞에 앉으며 말했다.

"왜 음악가인 동생이 아니라 회계 직원인 저한테 이 좋은 악기를 물려주셨어요?"

"네가 아버지 품에 안겨 이 피아노에 앉아 있었기 때문이다. 그 모습이 아름다웠지…."

콘스탄체의 눈에서 눈물이 흘렀다.

잘츠부르크는 과거의 번성과 달리 점차 쇠락해가는 도시였다.

잘츠부르크로 들어오는 인구는 거의 없었다. 1821년 가을, 콘스탄체와 니센은 모차르트의 어린 시절을 조사하기 위해 잘츠부르크로 가서 마르크트플라츠 아파트에 거처를 정했다. 그들이 대도시 코펜하겐을 떠나 잘츠부르크로 이사왔을 때 사람들은 모두 놀라는 표정을 지었다. 콘스탄체가 이웃에게 말했다.

"첫째, 이것은 내 인생의 스물네 번째 이사이고, 둘째, 인생이란 어려움을 극복하는 과정입니다. 더 이상 극복할 어려움이 없게 되면, 나는 눈을 감을 거예요."

콘스탄체와 니센은 모차르트의 누이 난네를의 집을 찾아가 예의를 갖추어 말했다.

"동생 분께서 당신께 쓴 편지를 볼 수 있을까요?"

"말년에는 전혀 보내지 않았지만 그 전에는 자주 썼었죠. 그는 편지에서 나를 '나의 누나, 이 악당!'이라고 불렀었죠. 더 심한 표현도 많았죠. 그러고 나서는 미안하다는 표시로 나의 엉덩이에라도 키스하겠다고, '만약에 거기가 깨끗하다면 말이야'라고 썼었지요. 나는 그 보복으로 '바보' 또는 '버르장머리 없는 놈'이라고 했죠."

니센은 400여 통의 편지를 넘겨받았다. 난네를과 콘스탄체 사이의 오랜 오해와 시기와 질투도 그렇게 해결되었다. 니센은 모차르트의 전기를 집필하는 동안 여러 음악 평론가들의 도움을 받았고, 무엇보다도 콘스탄체의 동생 조피의 도움을 많이 받았다. 니센은 조피에게 편지를 띄워 모차르트의 최후의 나날에 대해 질문했다. 모차르트는 처제 조피의 품에 안겨 숨졌다. 오래 전 일이지만 조피는 형부의 때이른 죽음을 떠올리며 아픔을 느꼈다.

1826년, 콘스탄체의 남편 니센과 조피의 남편 하이블이 동시에 세상을 떠났다. 니센은 65세, 하이블은 64세였다. 콘스탄체는 신교도인 남편을 가톨릭 공동묘지에 안장하고 가톨릭 장례미사를 드리는 걸 허락해달라고 대주교에게 편지를 썼다.

이틀 후, 폰 니센은 상트 제바스찬 성당 공동묘지의 레오폴트 모차르트 옆에 안장되었다. 콘스탄체는 시아버지 레오폴트의 무덤 앞에서 걸음을 멈추었다.

"저한테는 하늘의 별보다도 더 멀기만 하셨던 분, 아버님, 제가 얼마나 많은 것에 익숙해졌는지 아세요? 저를 용서하시겠습니까?"

콘스탄체는 무릎을 굽히고 고개 숙여 절을 한 후에 그곳을 떠났다.

콘스탄체에게는 니센이 집필하던 모차르트의 전기가 미완성인 채로 남겨졌다. 콘스탄체는 미완성 전기를 니센의 친구이자 의사이며 모차르트 애호가인 요한 프리드리히 포이에르스타인(Johann Friedrich Feuerstein)에게 맡겼다.

1828년 브라이트코프 운트 헤르텔 출판사는 포이에르스타인이 정리한 《모차르트의 전기》를 출판했다. 그 사이 콘스탄체는 자신이 아는 모차르트 애호가들을 중심으로 책의 구매고객 목록을 작성하였는데 대략 620명 정도였다.

1829년 4월 1일 초판본이 나왔다. 콘스탄체의 열성적인 판촉에도 불구하고 거의 20년 후에야 재판 인쇄를 하게 되었다.

## 모차르트의 유업

1841년은 모차르트 사망 50주년 되는 해였다. 잘츠부르크 시는 1841년 대성당음악협회와 모차르테움(Mozarteum)을 설립했고, 모차르트의 기념 동상을 세우기로 결정했다. 곧 모차르트 기념 동상에 대한 찬반 논쟁이 붙었다. 처음에 콘스탄체는 반대편에 섰다.

"기념비들은 다만 화석으로 굳어버린 역사일 뿐이야. 무엇 때문에 굳이 모차르트의 이름을 딴 음악학교를 짓고, 동상을 만든다는 말이지?"

그러나 콘스탄체는 결국 동의했다. 동상은 뮌헨의 조각가 루트비히 슈반탈러(Ludwig Schwanthaler, 1802-1848)에게 의뢰했고 그는 무상으로 설계도를 제작할 것을 수락했다. 그때부터 콘스탄체는 하루도 빠짐없이 책상 앞에 앉았다. 기념비 건립위원회가 콘스탄체 부인보다 더 잘할 수 있는 사람이 어디 있겠냐고, 그녀에게 일임했기 때문이다. 콘스탄체는 종종 이런 말을 했다.

"누구나 할 수 있는 일이지요. 다만 서명만 하면 되는데, 아무도 서명하려 하지 않는 탓에 내가 할 뿐입니다."

콘스탄체는 모차르트 관련 유물을 기증하는 등 모차르테움 설립에도 깊이 관여했고 모차르트 2세를 모차르테움의 감독으로 앉히려고 노력했다. 하지만 뜻대로 되지 않았고 알로이스 타우스(Ehrengrab Alois Taux, 1817-1861)가 감독이 되었으며, 모차르트 2세는 명예악장이 되었다.

동상 제막식 행사 음악은 모차르트 2세가 맡기로 했다. 그는 가사만 짓고 곡은 모차르트의 모티프를 가지고 칸타타를 만들기로 했다. 하지만 행사 추진위원회 측은 프란츠 그릴파르처(Franz Grillparzer, 1791-1872)에게 의뢰한 가사에, 잘츠부르크의 작곡가 지기스문트 폰 노이콤(Sigismond Neukomm, 1778-1858)에게 곡을 쓰게 했다.

모차르트 동상 제막식은 슈반탈러의 작업이 지연됨에 따라 예정보다 1년이나 늦어졌다. 동상 제작을 완성한 후에는 세울 장소를 놓고 열띤 논의가 이어졌다. 게다가 동상 건립 장소에 로마시대 유적이 발견되면서 또 다시 지연되었다. 이 무렵 콘스탄체는 지병인 통풍이 재발하면서 건강이 나빠지기 시작했다.

1842년 2월 22일, 조피가 신문을 갖고 와서 병상의 콘스탄체에게 읽어주었다. 기념비 건립위원회가 오는 9월 4일 모차르트 미망인과 두 아들이 참석하는 가운데 개최될 경사스런 동상 제막식에 시민들을 초대한다는 내용이었다. 그러나 콘스탄체는 제막식을 6개월 앞둔 3월 6일 새벽 편안히 눈을 감았다. 80세였다. 1791년 모차르트가 타계한 후 50년이나 더 살았던 것이다. 아마도 모차르트의 남은 유업을 다 이루기 위해서는 그 정도의 시간이 필요했는지도 모르겠다. 조피는 언니와 형부 모차르트 둘 다 자신의 품에 안고 보냈다. 콘스탄체는 상트 제바스찬 성당 공동묘지에 니센과 나란히 묻혀 있다.

# 박하우스
# vs
# 루빈스타인

*Backhaus*
85세(1884–1969)
*vs*
*Rubinstein*
95세(1887–1982)

# 같은 길, 다른 삶을 보여준
# 두 피아니스트

## 20세기 최고의 피아니스트는 누구인가?

20세기 최고의 피아니스트는 누구인가? 이에 대한 대답은 사람들마다 다를 것이다. 그러나 몇 사람을 추천한다면 빌헬름 박하우스(Wilhelm Backhaus, 1884-1969)와 아르투르 루빈스타인(Arthur Rubinstein, 1887-1982)은 당연히 포함될 것이다.

박하우는 85세로 숨을 거두기 직전까지 4000회 이상의 연주회에 출연했다. 연주가 끝나고 음악잡지 기자가 물었다. "선생님, 연주를 하지 않을 때 주로 무얼 하십니까?" 물끄러미 기자를 쳐다보던 박하우스는 무슨 그런 이상한 질문도 다 있느냐는 표정으로 대답했다. "연주하지 않을 땐 연습하지."

비슷한 질문을 루빈스타인에게 했을 때 대답은 완전히 달랐다. "피아니스트라고 밤낮 피아노만 연습하면 무슨 재미로 사나?"

루빈스타인은 와인과 시가를 좋아했고, 많은 여자들과 염문을 뿌렸고 사생아도 있었으며, 여러 나라 언어도 자유롭게 구사했고, 요리 솜씨도 뛰어났다고 알려져 있다.

## 건반 위의 사자, 박하우스

독일 라이프치히에서 정통 독일계 중산층 집안에서 태어난 박하우스는 7세 때인 1891년 라이프치히 음악원에 들어가 음악을 배우기 시작했다. 나중에 유진 달버트(Eugen d'Albert, 1864-1932)에게서 베토벤의 곡 해석에 대해 영향을 받게 되었는데, 이는 그가 훗날 기교파가 아닌 예술가로 완성되는 데 결정적인 역할을 했다.

박하우스는 21세 때인 1905년 8월, 안톤 루빈스타인 콩쿠르에 참가하여 우승하면서 명성을 날리게 되었다. 같은 콩쿠르에 참가한 피아니스트 겸 작곡가 벨라 바르톡은 "박하우스는 정말로 아름답게 연주했다"고 회고했다.

건반 위의 사자(Lion of the keyboard)로 불리는 박하우스는 늘 엄숙한 얼굴에 파이프 담배를 피웠다는 것 외에 사생활은 거의 알려진 것이 없을 정도로 연주에만 집중했다.

그러나 박하우스는 연습만 하는 우직한 사람이 아니라 유머감각도 있었다. 83세 때 박하우스는 칼 뵘(Karl Bohm, 1894-1981)의 지휘로 브람스 피아노 협주곡 2번을 녹음했는데, 녹음 도중에 주위 사람들을 보고 "칼 뵘은 나이가 젊은데도 벌써 브람스를 잘 연주

박하우스의 〈브람스 피아노 협주곡 2번〉 음반, 지휘자 칼 뵘

하는군 그래."라고 말했다. 그가 젊다고 말한 칼 뵘은 박하우스보다 10년 아래로 이미 73세였다.

박하우스의 집 벽에는 슬픈 모습의 광부 그림 하나가 걸려 있었다. 누군가 그것을 보고 "선생님, 왜 저런 그림을 갖고 있습니까?" 라고 물으면, 박하우스는 항상 같은 대답을 했다. "그 그림은, 내가 하는 일이 그가 하는 일보다 더 힘들지 않다는 것을 일깨워주기 때문이지."

## 잠시 쉬고 싶습니다

박하우스는 1968년 84세 때 잘츠부르크 축제에 참가하여 칼 뵘의 지휘로 브람스의 피아노 협주곡 2번을 연주했다. 1년 후인 1969년 6월 28일, 박하우스는 오스트리아 남부 오시아흐(Ossiach) 호수의 주교좌 성당에서 고별연주를 하고 있었다. 모차르트의 소나타 11번과 베토벤의 소나타 21번 일명 '발트슈타인 소나타'의 연주를 마치고, 이어서 베토벤 소나타 18번 3악장을 연주하던 중이었다. 갑자기 박하우스는 심장에 통증을 느꼈다. 그는 "잠시 쉬고 싶습니다"라는 말을 남기고 무대를 떠났다. 관객의 박수가 터져나왔다. 그날 '최후의 연주회' 실황음반에는 그런 광경이 고스란히 담겨 있었다.

빅하우스

30분 후 되돌아 온 박하우스는 베토벤 소나타 18번 4악장을 마저 치지 못하고, 대신 슈만의 환상소품집 작품 12의 1번과 3번을 연주했다. 박하우스는 의사의 만류에도 불구하고 앵콜곡으로 슈베르트의 즉흥곡 D.935-2를 치고는 무대 위에 쓰러졌다. 일주일 후, 박하우스는 오스트리아의 빌라흐(Villach)의 한 병원에서 심장마비로 세상을 떠났고, 유해는 쾰른에 안장되었다.

## 콘서트 무대와 사랑에 빠진 예술가, 루빈스타인

폴란드의 로츠(Lodz) 태생인 루빈스타인은 아주 어릴 때부터 피아노에 뛰어난 재능을 보였다. 열 살이 되자 그의 부모는 아들을 베를린으로 데려가 여러 저명한 피아노 교수에게 재능을 테스트 받게 했다. 그러나 엄청난 레슨비 때문에 포기하고 그 대신 조언이라도 구하기 위해 바이올린의 거장 요제프 요아힘(Joseph Joachim, 1831-1907)을 찾아갔다.

바이올리니스트에겐 피아노의 신동에 대해서는 관심이 없을 줄 알았으나 루빈스타인이 연주한 모차르트 곡을 듣자 요아힘은 즉각 루빈스타인의 교육을 책임지겠다고 약속했다. 그리고 며칠 후 세 명의 은행가 친구들을 설득해서 교육비를 후원받기로 했다. 다만 루빈스타인이 음악적으로 성숙할 때까지는 절대로 조급하게 출세시키려고 하지 말라는 것을 부모들에게 조건으로 내걸었다.

만년의 루빈스타인은 이렇게 회고했다. “부모님이 이 같은 제안을 충실히 지키셨음을 나는 지금도 고맙게, 그리고 자랑스럽게 여긴다."

루빈스타인의 레퍼토리는 주로 19세기 낭만파 음악이 중심이었지만, 바흐, 모차르트, 베토벤을 비롯해서 스트라빈스키, 드뷔시, 라벨, 프로코피예프뿐 아니라 빌라-로보스(Heitor Villa-Lobos, 1887-1959) 같은 스페인과 남미의 음악에 이르기까지 광범위했다. 젊은 시절 그의 음악적 호기심은 무한하여, 당시엔 인기가 없던 현대음악을 열렬히 옹호하기도 했다.

## 낭비벽과 자살 기도

루빈스타인은 뛰어난 기억력의 소유자로 알려져 있다. 그의 기억력은 초인적이어서 8개 국어를 구사할 수 있었고, 레퍼토리의 암보(暗譜) 능력도 뛰어났다. 세자르 프랑크(Cesar Franck, 1822-1890)의 〈교향악적 변주곡〉(Symphonic Variations)은 기차를 타고 연주회장에 가는 길에 외웠다는 일화가 전해오고 있고, 연주회에 임했을 때도 악보를 한번 쓱 훑어보고는 거의 연습 없이 무대에 나가기 일쑤였다.

이처럼 타고난 재능과 감수성 덕분에 특별히 노력하지 않고도 성공 가도를 달릴 수 있었던 결과로, 루빈스타인이 흔히 예술가에게 동반되는 치열한 내적 고뇌와 갈등을 겪지 않았을 것으로 생각하기 쉽다. 그러나 연주회 수입이 거의 유일한 생활 수단이었던

루빈스타인

젊은 시절의 루빈스타인은 항상 빚에 쪼들렸다.

게다가 루빈스타인은 돈이 생기면 함부로 써버리고 사치하는 버릇도 있었다. 빌린 돈을 갚는 법이 거의 없었다. 급기야 친구나 지인들에게 다급하게 도움을 청해도 아무런 응답이 없는 날이 닥쳐왔다. 루빈스타인은 드디어 절망 끝에 자살을 시도하기도 했다.

그런 과거를 회상하면서 루빈스타인은 이렇게 말했다. "젊었을 때 나는 게을렀어. 나는 재능은 있었지만, 인생에는 연습보다 훨씬 더 중요한 일이 얼마든지 있었지. 맛있는 음식, 좋은 시가, 훌륭한 술, 여인들… 내가 스페인, 프랑스, 이탈리아 등지에서 연주했을 때 사람들은 나의 스타일 때문에 나를 사랑했지."

## 나는 위대한 피아니스트였는가?

만년의 루빈스타인은 오랜 시간에 걸쳐 그때까지의 자신의 연주에 대해 숙고에 숙고를 거듭하며 테크닉을 강화하고 레퍼토리의 재점검에 몰두했다.

루빈스타인은 항상 스스로에게 질문했다. "과연 나는 위대한 피아니스트였다고 말할 수 있는가? 나의 아내와 아이들에게 훗날 과연 그런 평판을 유산으로 남겨줄 수 있을까?"

루빈스타인은 신예 피아니스트들이 무섭게 성장해오는 것을 객관적으로 인정했다. 1950년대 소련의 스비아토슬라프 리히테르(Sviatoslav Richter, 1915-1997)가 서구에 소개되었을 때, 그의 연주를 들은 루빈스타인이 "하도 많은 사람들이 소련에서 온 피아니스트 리히테르 얘기를 하길래 들어 보았지. 처음엔 평범하게 들렸는데 어느 순간부터 나의 눈가가 촉촉해지더니 금세 눈물이 뺨을 타고 흐르기 시작하더군"이라고 한 말은 음악계에 큰 충격을 던져주었다.

또한 1960년 18세의 마우리치오 폴리니(Maurizio Polini, 1942- )가 쇼팽 콩쿠르에서 심사위원 만장일치로 1위를 했을 때, 당시 심사위원장이었던 루빈스타인은 이렇게 말했다. "우리 심사위원 중에서 저 사람만큼 연주를 잘할 수 있는 사람이 있을까?"

루빈스타인은 1932년 폴란드의 작곡가 미나르스키(Emil Szymon Mynarski, 1870-1935)의 딸 넬라(Nela)와 결혼했는데, 적어도 법적으로는 백년해로했다. 그러나 숱한 염문을 뿌렸던 루빈스타인은 1977년 공연기획자였던 아나벨(Annabelle Whitestone)과 동거를 시작했다. 그의 나이 90세 때였다. 두 사람은 5년 후 루빈스타인이 죽을 때까지 함께 살았는데, 아나벨은 루빈스타인이 자서전《오랜 나날들*My Many Years*》(1980)의 제2판을 집필하는 것을 도왔다.

루빈스타인이 카네기홀에서 한 시즌에 10회의 마라톤 연주를 가졌을 때 그는 이미 70대의 노장이었으며, 마지막 리사이틀 무대에 섰을 때는 아흔 살의 노인이었다. 사람들은 루빈스타인을 "콘서트 무대와 사랑에 빠진 예술가"라고 말했다.

동시대의 경쟁자로 살았던 박하우스는 85세에 은퇴공연을 마치고 곧 타계했고, 루빈스타인은 90세에 은퇴공연을 한 후에도 5년을 더 살았다.

# 베르디

*Giuseppe Verdi*

88세(1813–1901)

"나는 한 번 더
도전해볼 의무가 있다."

## 노년이 되면 그 무엇으로부터도 자유롭다

1893년 어느 날 작곡에 몰두하고 있는 80세의 주세페 베르디(Giuseppe Verdi, 1813-1901)에게 한 기자가 질문을 했다.

"19세기 최고의 오페라 작곡가로 인정받고 있으며 이미 유명인이 된 선생님이, 80세의 나이에, 왜 또 힘들게 오페라를 작곡하십니까? 그것도 엄청나게 벅찬 주제를 말입니다."

베르디가 대답했다.

"음악가로서 나는 일생 동안 완벽을 추구해왔다네. 완벽하게 작곡하려 했지만, 곡이 끝날 때면 늘 아쉬움이 남았지. 분명 나는 한 번 더 도전해볼 의무가 있다고 생각한다네."

1871년 베르디가 대작 〈아이다〉를 발표했을 때 그의 나이 58세였다. 그 뒤로 오랫동안 오페라를 작곡하지 않아 오페라 팬들은

〈아이다〉가 베르디 최후의 걸작이라 믿고 있었다. 하지만 〈아이다〉를 작곡한 지 22년 뒤에 베르디는 최후의 희극 〈팔스타프〉를 작곡했다. "명예가 밥 먹여 주냐, 병을 고쳐 주냐? 그거 아무짝에도 쓸모없는 거야"라고 노래하는 주인공 팔스타프의 대사는 보다 여유로워진 노년의 베르디의 인생철학을 드러낸 것인지도 모른다. 〈리골레토〉, 〈라 트라비아타〉, 〈아이다〉 등 걸작을 발표하던 전성기의 베르디는 스스로를 '작업 의뢰를 받은 수공업자'라고 생각하고, 의뢰인이 원하는 작품 스타일과 기한을 지키려 노력했다.

그러나 〈팔스타프〉를 작곡할 때 베르디는 80세로 생계, 명성, 인기, 흥행 등 그 무엇에도 연연해할 필요 없이 자유로웠다. 베르디는 다음과 같이 술회했다.

"〈팔스타프〉를 작곡하는 동안 나는 정말 행복했다. 수공업자가 의뢰인에게 내줄 작품이 아니라 자기 집에 두고 바라보며 즐길 애장품을 제작하는 기분이었다."

80세 정도 되면 사람은 꼭 생계와 부 그리고 권력과 명예 때문에 일하는 것은 아니다. 〈팔스타프〉를 작곡하도록 부추긴 사람은 베르디의 절친한 친구이자 극작가였던 보이토(Arrigo Boito, 1842-1918)였지만, 진정 베르디로 하여금 작곡하지 않을 수 없도록 자극한 것은 로시니(Gioacchino Rossini, 1792~1868)의 냉혹한 비판이었다. 〈세빌리아의 이발사〉 등으로 베르디 이전에 한껏 이름을 날렸던 로시니는 베르디의 능력을 무시하는 비평의 글을 썼다.

"나는 베르디의 음악적 역량을 대단히 존경하지만, 본질적으로 우울하고 심각한 성향을 지닌 베르디가 과연 희극 오페라를 작곡할 능력이 있는가에 대해서는 상당히 회의적이다."

이 글을 본 베르디는 언젠가 희극 오페라를 작곡해 보이리라고 결심했다.

## 일찍이 인생의 고통을 맛보다

베르디는 1813년 10월 10일 이태리 북부 파르마 공국의 작은 도시 부세토(Busseto)에서 약 3킬로미터 떨어진 작은 마을 론콜레(Le Roncole)에서 태어났다. 지금은 그를 기념하여 론콜레 베르디(Roncole Verdi)로 지명이 바뀌었다. 론콜레는 '낫'이란 뜻으로, 그가 태어난 곳이 시골이었음을 말해준다.

당시 이탈리아는 나폴레옹의 치하에 있었는데, 〈라데츠키 행진곡〉으로 그 이름이 유명해진 요제프 라데츠키(Joseph Radetzky, 1766~1858) 장군이 1814년 1월 오스트리아 군대를 이끌고 론콜레 마을로 진격하여 나폴레옹 군대를 퇴각시켰다. 한 살 난 베르디는 어머니의 품에 안겨 마을 중앙의 성 미카엘 교회의 종루 밀실로 피해 가까스로 화를 면했다.

베르디는 모차르트처럼 태어날 때부터 세상을 놀라게 한 천재는 아니었다. 그는 고난을 극복하고 노력을 통해 천재가 된 인물이다. 베르디는 론콜레의 성당 오르가니스트에게 음악을 배웠고, 그가 죽자 몇 년 동안 성당의 오르간을 연주했다.

베르디의 아버지는 아들을 부세토에 있는 중학교로 보냈는데, 운이 좋게도 베르디는 부세토 음악협회의 공동 창설자 안토니오 바레찌(Antonio Barezzi)의 후원을 받게 되었다. 베르디의 능력을 간파한 바레찌는 그를 자신의 딸 마르게리타(Margherita)의 음악 가정교사로 집에 머물도록 하고 사윗감으로 점찍어두고 있었다. 양조장을 운영하던 바레찌는 베르디의 제2의 아버지였다. 대학에 갈 재력이 없던 베르디가 부세토를 떠나 고향으로 돌아가려고 하자, 바레찌가 만류하며 말했다. "베르디, 자네는 밭일을 하려고 이 세상에 태어난 것이 아니야."

베르디가 오페라 작곡에 성공한 것은 인생의 쓰라린 고통을 겪은 후였다. 1838년, 마르게리타와의 사이에서 태어난 어린 딸이 죽었다. 이듬해 밀라노로 이주한 뒤에는 아들마저 잃었다. 그것으로도 모자라 한해 뒤에는 후원자 바레찌의 딸이자 동갑나기 아내 마르게리타마저 세상을 뜨고 말았다.

아무리 신앙심이 깊은 사람이라도 20대 후반에 딸과 아들, 아내까지 차례로 잃는다는 것은 견디기 힘든 고통이었다.

밀라노에서 참담한 날들을 보내고 있던 어느 날, 베르디는 길을 걷다가 극장 흥행사 메렐리(Bartolomeo Mereli)와 맞닥뜨렸다. 그에게 의뢰받아 놓은 작품은 지지부진한 상태였다. 난처한 상황에 처한 베르디는 쥐구멍에라도 들어가고 싶은 마음뿐이었다. 그런 베르디에게 메렐리는 대본을 하나 주면서 말했다. "내용을 훑어보고 괜찮으면 곡을 붙여 주게."

## 가거라, 슬픔이여, 금빛 날개를 타고

집에 돌아온 베르디는 "세상이 이 모양인데, 무슨 곡을 붙여…"라고 푸념하면서 대본을 책상 위에 내던졌다. 문득 그 대본 중 한 줄의 시구가 눈에 들어왔다.

'가거라, 슬픔이여, 금빛 날개를 타고….'

이 한 구절이 베르디의 천재성을 일깨웠다. 베르디의 가슴에 악상이 흘러 넘쳤다. 그날 밤부터 베르디는 구약성서 〈예레미아〉 52장에 등장하는 바빌론 유수 이야기를 곡으로 쓰기 시작했다. 예루살렘을 공략하고 유태인들을 노예를 끌고 간 바빌로니아왕 네부카드네자르(Nebuchadnezzar)의 폭정과 바빌로니아에 유폐된 유태인들의 비참한 생활을 그린 〈나부코〉(Nabucco)가 탄생되는 순간이었다. 웅장한 스타일에 합창을 자주 사용하는 베르디의 성향에 꼭 맞아 작곡은 단숨에 완성되었다.

1842년 3월 9일, 밀라노의 라 스칼라 극장. 웅장한 합창과 정열적인 아리아가 객석을 흥분의 도가니로 몰아넣었다. 조국을 잃은

오페라 〈나부코〉

유태인들의 비탄은 오스트리아에 억압당하던 이탈리아의 현실과 겹쳐졌다. 〈나부코〉는 이탈리아 사람들의 마음 깊숙이 쌓인 민족 감정에 불을 붙였다. 유프라테스 강가에서 사슬에 묶인 채 강제 노동에 시달리고 있는 유태인들이 고국을 그리워하며 "가거라, 슬픔이여, 금빛 날개를 타고…"라고 시작하는 히브리 노예들의 합창을 시작하자, 객석의 흥분은 최고조에 달했다. 공연이 끝나고 길거리에는 '노예들의 합창'이 넘쳐났다.

베르디의 오페라는 당시 이탈리아의 정치 정세와 무의식적으로 연관이 되었고, 왕정제 통일의 상징이 되어 있었다. 우연의 일치인지 베르디(Verdi)라는 이름의 철자는 이탈리아 왕 비토리오 에마누엘레(Vittorio Emanuele re d' Italia)의 머리글자와 일치했다. 따라서 오페라가 끝난 후 청중들이 "베르디 만세!"(Viva Verdi)라고 환호하는 것은 외적을 몰아내고 통일 왕국을 이룩하자는 구호가 되었다. 1859년 2월 로마에서 초연된 〈가면무도회〉에서는 관객이 몇 번이나 의도적으로 "비바 베르디"를 외쳤고, 관리들도 어쩔 수 없었다.

1897년 84세의 베르디는 두 번째 아내 주세피나도 떠나보냈다. 그후로 건강도 점점 나빠졌지만 창작 능력은 떨어지지 않았다. 자신을 오래도록 지켜준 하느님에게 바치는 〈코러스와 오케스트라를 위한 4개의 성가〉를 작곡한 것은 85세 때였다.

만년의 베르디에게 누군가가 "귀하의 작품 중 어느 것이 최고의 작품입니까?"하고 묻자, 베르디는 "카사 디 리포소(Casa di Riposo)이지요"라고 대답했다. '휴식의 집'이라는 뜻의 카사 디 리포소는 은퇴 음악인들을 위한 양로원으로, 베르디가 자신의 작품에서 나오는 수익금으로 밀라노에 지은 곳이다. 베르디는 평생 26편의 오페라를 작곡했는데, 1849년 〈루이자밀러〉의 경우 작곡료가 2,500달러였지만, 차츰 인기가 높아지면서 1871년 〈아이다〉는 3만 달러를 받았다. 덕분에 그는 상당한 갑부가 되어 있었다.

1901년 1월, 밀라노의 그랜드 호텔. 청소를 하러 갔던 종업원이 의식을 잃고 침대에 쓰러져 있는 베르디를 발견했다. 조용히 88세의 일생을 마감한 것이다.

1월 30일 베르디의 시신을 담은 관이 밀라노 거리를 지날 때 토스카니니가 지휘하는 820명의 합창단은 "가거라, 슬픔이여, 금빛 날개를 타고"를 슬프게 불렀고, 수많은 시민들이 장례행렬을 따랐다. 베르디는 자신이 세운 '휴식의 집'에 영원히 잠들어 있다.

피터 드러커가 처음 베르디의 희극 오페라 〈팔스타프〉를 본 것은 함부르크의 무역회사 견습사원 시절인 18세 때였다. 베르디의 말 "나는 한 번 더 도전해볼 의무가 있다"는 구절을 접한 뒤 드러커는 앞으로 무엇을 하든지 '완벽을 추구하는 노력'을 인생의 지침으로 삼겠다고 결심했다. 베르디의 말 한마디가 피터 드러커로 하여금 현대경영학의 아버지가 되도록 동기를 불러일으킨 것이다.

# 베르디를 지탱해준 여인 주세피나

*Giuseppina Strepponi*

82세(1815–1897)

"삶은 산 자의 몫이다."

## 베르디에게 열정의 원천이 되었던 여인

이탈리아 북부 소도시 부세토(Busseto) 역 앞 로마 거리를 따라가면 베르디 광장(Piazza Verdi)이 나오고 그곳에 베르디의 커다란 좌상 조각상이 있다. 부세토의 거리는 대부분 음악가의 이름이 붙여져 있는데, 그 중에 주세피나 스트렙포니의 거리도 있다. 주세피나 스트렙포니는 베르디의 두 번째 아내의 이름이다.

베르디는 일찍이 불행한 일을 많이 겪었다. 베르디가 25세 때 어린 딸이 죽었고 이듬해 아들마저 죽었다. 그것으로도 부족했던지 그 다음해 1840년에는 후원자 바레찌의 딸이자 동갑나기 아내 마르게리타마저 세상을 뜨고 말았다. 그때 절망에 빠진 베르디를 이끌어준 사람이 스칼라 극장의 흥행사 바르톨로메오 메렐리인데, 베르디를 그에게 처음 소개해 준 사람이 바로 소프라노 주세피나(Giuseppina Strepponi, 1815-1897)였다.

주세피나는 무명의 베르디가 첫 오페라 〈오베르토〉를 무대에 올려보려고 동분서주할 때 그 작품에 대해 함께 논의했고, 1839년 〈오베르토〉의 초연에 출연할 계획도 세워 둔 상태였다.

## 비운의 소프라노

주세피나는 1815년 밀라노 근교 로디에서 태어나 1830년대 후반부터 이름을 날리기 시작한 미모의 소프라노였다. 1839년 벨리니의 오페라 〈청교도〉에서 엘비라 역으로 스칼라 극장에 데뷔한 이래 여러 오페라 극장에서 출연 요청을 받았다.

그러나 주세피나의 인기는 곧 꺾였다. 몬짜 대성당의 오르가니스트였던 아버지가 세상을 떠나자 가족을 부양하기 위해 돈 되는 일이라면 무대를 가리지 않고 출연했다. 게다가 함께 공연했던 테너와의 불륜으로 두 명의 사생아를 낳은 스캔들뿐만 아니라 목소리마저 변해 흥행사는 더이상 그녀를 찾지 않게 되었다.

그런 이유 등으로 그녀는 베르디의 〈오베르토〉 첫공연의 출연도 포기해야 했다. 주세피나는 도니제티와도 염문을 뿌렸는데, 도니제티는 1841년 그녀에게 로마의 아폴로 극장에서 초연된 〈아델리아〉(Adelia)의 주역을 맡겼다. 그러는 동안 주세피나의 몸 안에는 폐결핵이 자라고 있었다.

다음해인 1842년 몸을 추스른 주세피나는 베르디의 오페라 〈나부코〉의 초연에 아비가일레 역을 맡게 되었다. 무대에 서기 직전 의사들은 노래를 계속 부르면 폐결핵 증세가 더욱 악화될 것이라고 경고했지만 그녀는 여덟 번째 공연까지 무사히 소화해냈다. 〈나부코〉는 그후 무려 67회나 연속 공연되어 오페라 팬들을 열광시켰는데, 특히 제3막에서 부르는 '히브리 노예들의 합창'은 당시 오스트리아의 압제에서 벗어나 통일국가를 염원하는 이탈리아 국민들에게 뜨거운 조국애를 불러일으켰다.

주세피나는 그후에도 몇 편의 베르디 오페라에 출연했지만 1846년 결국 건강이 나빠져 오페라 무대에서 은퇴하고 파리로 갔다. 그곳에서 주세피나는 성악 레슨을 하면서 생활하던 중, 1847년 파리를 방문한 베르디를 다시 만났다. 첫 번째 아내와 사별한 지 7년째 되는 34세의 건강한 베르디와 여전히 젊고 아름다운 32세의 주세피나 사이에 사랑이 싹튼 것은 당연했다.

## 동백꽃 혹은 라 트라비아타

베르디는 1849년 주세피나와 함께 부세토로 돌아와 동거에 들어갔다. 첫 번째 아내 마르게리타의 아버지이자, 후원자였던 바레찌는 베르디의 처지를 이해하고 주세피나를 딸처럼 감싸주었다. 그러나 마을 사람들은 정식 결혼도 하지 않고, 게다가 과거까지 화려한 주세피나에게 따가운 눈초리를 던졌다. 1851년 두 사람은 부세토에서 북쪽으로 4킬로미터 떨어진 한적한 산타가타(Sant'

Agata)로 옮겼지만 사람들의 험담은 그칠 줄 몰랐다.

다음해 두 사람은 말 많은 부세토를 떠나 다시 파리로 갔다. 그곳에서 베르디는 뒤마 피스의 연극 〈동백꽃 여인〉(The Lady of the Camellias)을 보고 감격했다. 실존 인물을 주인공으로 한, 그리고 베르디 자신의 인생을 회고한 걸작 오페라 〈라 트라비아타〉가 탄생하는 계기였다.

알렉상드르 뒤마의 사생아였던 알렉상드르 뒤마 피스(Alexandre Dumas fils, 1824–1895)는 20세가 되던 1844년 파리 사교계에서 유명했던 화류계 여인 코르티잔 마리 뒤플레시를 만났다. 마리는 곧 뒤마와 동거하지만 그가 자신의 허영심을 채워주지 못하자 헤어지고, 이어 젊은 백작과 결혼했다. 그 결혼마저도 서류 미비로 원인 무효가 되고 마리는 폐결핵으로 23세의 젊은 나이에 세상을 떠났다. 뒤마는 마리의 죽음을 알고 그녀의 패물을 경매에서 사들였다.

1848년 뒤마는 이런 사실에다 픽션을 가미하고, 마리의 이름은 마르그리트로 바꾸어 소설로 발표했고, 4년 후에는 연극으로 각색하여 큰 성공을 거두었다. 마리는 동백꽃을 특히 좋아했는데, 소설의 제목 〈동백꽃 여인〉, 즉 '춘희(椿姬)'는 그렇게 붙여졌다. 베르디와 주세피나는 그해 2월 파리 보드빌 극장에서 춘희를 보고 큰 감명을 받았다.

베르디는 동백꽃 여인에서 동거녀 주세피나의 모습을 보았다. 주세피나는 이미 세 명의 사생아를 낳은 여인이어서 베르디의 주변에서는 두 사람의 결혼을 말리고 있던 터였다. 베르디는 이 연극을 오페라로 만들기로 결심했다. 사실 이 연극을 오페라로 만들자고 적극적으로 권한 사람은 주세피나였다.

1852년 산타가타 별장에 되돌아온 베르디는 오페라 작곡을 시작했다. 오페라의 제목은 '동백꽃 여인'에서 '길을 잘못 든 여인'(La Traviata)으로, 여주인공 이름은 마르그리트에서 비올레타로 바꾸었다. 알프레도의 아버지 제르몽은 바레찌의 모습을, 비운의 여주인공 비올레타는 주세피나를 염두에 두고 작곡을 했다. 이탈리아어 대본은 전작 〈리골레토〉로 대호평을 받은 프란체스코 마리아 피아베(Francesco Maria Piave, 1810-1876)가 맡았다. 〈라 트라비아타〉는 1853년 3월 6일, 베네치아의 라 페니체 극장에서 초연되었다.

자신만만하게 무대에 올렸지만, 결과는 참담한 실패였다. 그때 베르디의 나이 40세였다. 베르디의 실망은 컸다. 실패한 이유는 우선 가수들에게 있었다. 알프레도 역을 맡은 테너는 감기에 걸려 목소리가 나오지 않았고, 제르몽 역의 바리톤은 자기에게 주어진 역이 단역이라며 연습을 제대로 하지 않았다. 주인공 비올레타 역을 맡은 프리마돈나는 몸집이 뚱뚱해서 결핵으로 죽는 역으로서는 적당치 않았다.

비올레타가 죽는 마지막 장면은 여성 관객들이 손수건으로 눈물을 찍어대거나 적어도 숨을 죽여야 할 터인데, 객석에서는 키득거리는 웃음소리가 들렸다. 비극 오페라가 희극 오페라가 된 것이다. 게다가 바로크식 화려한 무대만 보아왔던 관객들은 〈라 트라비아타〉의 현대적 무대 연출에 적잖이 당황했다.

베르디는 분명 〈라 트라비아타〉의 여주인공 비올레타를 주세피나를 염두에 두고 작곡했다. 그러나 한편으로는 12년 전 26세의 젊은 나이로 세상을 떠난 첫 아내 마르게리타도 생각했다. 베르디는 궁핍했던 시절 아내 마르게리타의 패물을 팔아 생활한 적도 있었기 때문에 〈동백꽃 여인〉 마르그리트에게서 첫 아내 마르게리타의 모습을 보았다. 〈라 트라비아타〉의 제2막 첫 장면과 비슷한 상황이었다. 베르디는 자신이 사랑했던 두 여인, 마르게리타와 주세피나를 비올레타에 투영시킨 것이다.

## 베르디와의 추억, 그리고 산타가타

삶은 산 자의 몫이다. 베르디와 주세피나의 애정은 더욱더 깊어져서 함께 산 지 12년 후인 1859년에야 정식으로 결혼했다. 그후 1897년 주세피나가 82세로 먼저 세상을 뜰 때까지 두 사람은 40년 가까이 행복하게 살았다. 베르디는 주세피나가 사망하고도 4년 더 살았다.

두 사람 사이에는 자식이 없어 나중에 베르디 사촌의 딸 필로메나를 양녀로 받아들였다. 베르디는 한적한 산타가타에서 밭일에

산타가타

도 열중하면서 "나는 농부였어. 지금도 나는 농부일세. 그리고 앞으로도 나는 농부일걸세"라고 읊조리곤 했다.

하늘은 간혹 모차르트나 베르디같이 특정한 사람에게 위대한 재능을 내려주는데, 그들에게 고통도 함께 주어서 재능을 더욱 더 값지게 한다. 바그너에게 코지마라는 두 번째 아내가 있었듯이, 베르디에게는 주세피나라는 두 번째 아내가 있었다. 코지마가 바그너 사후에 바이로이트 축제를 완성했다면, 주세피나는 베르디가 88세 동안 장수를 누리며 수많은 오페라를 작곡할 수 있도록 지탱해준 동지였다.

부세토에 가을바람이 불어오고 낙엽이 흩날리면 백발 농부 베르디의 노래가 들려온다. "가거라, 슬픔이여, 금빛 날개를 타고…" 지금도 산타가타 별장은 베르디와 주세피나의 추억을 간직한 채 그대로 보존되어 있다.

# 바그너의 부인 코지마

*Cosima*

93세(1837–1930)

"당신의 유업을 정리하고 오느라
이렇게 늦었어요."

## 위대한 피아니스트 리스트의 딸 코지마

1833년 세기의 피아니스트 프란츠 리스트(Franz Liszt, 1811-1886)는 22세 나이에 6년 연상의 마리 다구(Marie d'Agoult, 1805-1876) 백작부인을 만난다. 다구 백작부인은 다니엘 스턴(Daniel Stern)이라는 남자의 이름으로 문필활동을 하고 있었는데 젊은 리스트를 유혹했다. 결국 그녀가 남편을 버리고 두 딸과 함께 리스트의 집으로 들어가자 세상은 리스트가 유부녀를 유혹했다며 비난했다. 사실은 젊고 순진한 청년 리스트가 농염한 중년 여인에게 농락당한 것이다.

두 사람은 딸 발딘느(1835)와 코지마(Cosima, 1837-1930), 아들 다니엘(1839)을 두었다. 그러나 발딘느는 26세에, 다니엘은 20세에 요절하고 코지마만이 장수를 누리게 된다. 하지만 그들의 사랑은 5년 만에 끝이 났고, 게다가 다구 백작부인은 리스트의 작곡에 대해 부정적이고 비판적인 말을 해댔다. 일종의 자기 우월성을 과시하려는 심리였다.

### 지휘자 한스 폰 뷜로의 아내 코지마

리스트의 제자 중에 한스 폰 뷜로(Hans von Bulow, 1830-1894)라는 유망한 청년이 있었다. 그는 아홉 살 때 클라라 슈만의 아버지 프리드리히 비크에게 피아노를 처음 배웠고, 라이프치히 대학교에서 법률을 공부했으며, 1850년부터는 바그너에게 지휘를 배웠다. 이후 베를린의 민주정치 모임에서 활동하면서 독일 민족음악운동에 대한 바그너 이론을 보급했다. 그리고 1851년 리스트의 제자가 되었으며 1853년부터 순회공연을 시작하여 피아니스트로서 당대의 주요 작품들을 대부분 연주했다. 1855년에는 베를린 스테른 음악원의 피아노과 과장이 되었다.

그렇게 차곡차곡 경력을 쌓은 뷜로는, 슈만이 스승의 딸 클라라와 결혼한 것처럼, 1857년 스승 리스트의 딸 코지마와 결혼했다. 그리고 1864년 뮌헨 궁정 음악감독이 되어 바그너의 작품 〈트리스탄과 이졸데〉의 초연을 지휘했다. 그러나 이것은 뷜로에게 비극의 서막이었다. 곧 19세기 음악계의 최대 스캔들, 즉 뷜로의 아내 코지마가 뷜로의 우상 바그너와 간통하여 바그너의 사생아를 출산하는 사건이 일어난 것이다.

## 바그너의 부인 코지마

1866년 결국 코지마는 뷜로와 이혼하고, 1870년 바그너와 정식 결혼을 했다. 물론 바그너도 첫 결혼은 아니었다. 〈니벨룽겐의 반지〉로 유명한 바그너(Wilhelm Richard Wagner, 1813-1883)는 소문난 바람둥이였다. 1836년 11월 24일, 22세의 바그너는 26세의 여배우 미나 플라너(Christine Wilhelmine Minna Planer)와 첫 번째 결혼을 했다. 두 사람은 리가(Riga, 지금의 라트비아의 수도)로 이사하여 바그너는 그곳 지역 오페라단의 음악 감독이 되었다. 몇 주 후 미나는 한 군인과 눈이 맞아 야반도주했다. 그런데 그 군인은 나중에 한푼도 안 남기고 그녀를 떠났다. 바그너는 미나를 다시 받아들였지만, 이 일은 20년 후에 비극적으로 끝날, 바그너의 문제 많은 결혼 생활의 시작이었다.

1852년 바그너는 취리히에서 만난 비단 상인 후원자 베젠돈크(Otto von Wesendonck)의 부인 마틸드(Mathilde)와 사랑에 빠졌다. 두 사람이 주고받던 연애편지가 미나에게 발각되면서, 미나도 마틸드도 바그너를 떠났다. 미나와 정식 별거 후에도 바그너는 그녀가 죽을 때까지 계속 생활비를 대주었다. 그후 바그너의 새로운 염문 상대가 코지마였던 것이다.

바그너와 코지마의 간통사건으로 가장 난처해진 사람은 관련 당사자 3인을 모두 잘 알고 있었던 리스트였다. 정리하자면, 바그너는 57세에 33세의 코지마와 결혼했는데, 장인이자 친구인 리스트보다는 겨우 두 살 아래였고, 코지마의 전 남편 한스 뷜로보다는

17년 연상이었다.

리스트는 파멸 직전의 뷜로를 위해, 뷜로와 코지마 사이에 혼인은 유지할 수 있도록 노력했으나, 바그너에게로 간 딸을 진정으로 비난하지는 못했다. 코지마는 바그너 같은 거장을 원했고 바그너 또한 코지마 같은 지적이고 예술적인 여성을 필요로 했다. "둘이 결합되는 건 숙명이다"라는 코지마의 말에, 결국 뷜로는 자신의 운명을 받아들였다.

뷜로는 모든 것을 잊고 휴양지 바덴으로 가서 사람을 피하고자 문에다 이렇게 써 붙였다. '오전중엔 일체 면회 사절. 오후는 외출중이므로 면회 불가.'

바그너가 생존해 있을 때 누군가 지휘자 뷜로에게 물었다.

"지휘자님, 혹시 작곡가 바그너를 개인적으로 아세요?"

뷜로는 담담하게 대답했다.

"그 사람은 제 전처의 남편입니다."

이혼 후 뷜로는 바그너에 대해 시기, 질투, 과대망상, 자만, 도덕불감증, 무자비성, 기만과 허위의식에 가득찬 사람이라고 독설을 쏟아냈다. 그러나 자신의 지휘 레퍼토리에서 바그너의 작품을 제외시키지는 않았다. 음악가 바그너와 인간 바그너를 구분지은 것이다. 뷜로는 19세기 말 위대한 피아니스트, 지휘자, 바그너 해석자, 평론가로 명성을 남겼다.

## 바이로이트 축제

1871년 바그너는 작은 마을 바이로이트를 그의 새 오페라 극장의 위치로 결정했다. 바그너 일가는 다음해에 그곳으로 이주했고, 바이로이트 축제극장 건립이 착공되었다. 공사를 위한 자금 조달을 위해 각 도시에 바그너 협회가 결성되었다. 바그너 자신도 독일 전역에 모금을 위한 콘서트 여행을 했다. 그러나 축제극장의 건설은 1874년 바이에른의 루트비히 2세(Ludwig Ⅱ, 1845-1886, 재위기간 1864-86)가 거액의 기부금을 내놓은 뒤에야 본격적으로 진척되었다.

바그너를 이야기할 때 빼놓을 수 없는 인물이 루트비히 2세이다. 뮌헨이나 아우구스부르크에서 남쪽으로 기차로 한두 시간쯤 가면 퓌센이라는 작은 도시가 나온다. 그곳 산중턱에 속칭 '백조의 성'으로 알려진 노이슈반스타인(Neuschwanstein) 성이 있는데, 디즈니랜드의 모델이 된 아름다운 성이다. 이 성을 지은 사람이 루트비히 2세이다. 바그너의 오페라를 너무나도 사랑한 루트비히 2세는 성안의 거의 모든 벽화를 바그너 오페라의 등장인물과 배경으로 장식했다. 아이러니컬하게도, 생전에 바그너는 이 성에는 단 한 번도 와보지 못했다.

만약 루트비히 2세가 존재하지 않았다면 어쩌면 바그너의 후기 명작들, 〈뉴른베르크의 명가수〉, 〈파르시팔〉, 〈니벨룽겐의 반지〉 시리즈 중 〈지그프리트〉와 〈신들의 몰락〉은 세상에 빛을 보지 못했을지도 모른다. 그래서 바그너는 루트비히 2세에 대한 감사를 잊지 않았다. 1864년 5월 3일 바그너가 루트비히 2세에게 보낸 편지에는 이렇게 쓰여 있다.

"오, 은혜로 충만하신 왕이시여! 천상의 감동에서 솟아난 눈물을 당신께 바침으로써, 그리도 비천하고 애정에 굶주려왔던 제 가련한 인생이 품고 있던 시적 경이감이 드디어 지고한 현실이 되었음을 당신께 알려드리고자 합니다. 이제 이 인생의 마지막 한 단어까지, 마지막 한 음계까지, 저의 인생은 당신께 속해 있습니다."

1876년 8월 〈니벨룽겐의 반지〉 초연과 함께 축제극장이 개관되었고, 그후 지금까지 매년 여름이면 바이로이트 축제가 열리고 있다.

## 바그너, 베니스에서 사망하다

코지마와의 결혼생활 동안에도 바그너는 수차례 다른 여성들과 염문을 뿌렸다. 아버지 리스트의 분방한 성격을 그대로 물려받은 코지마라고 해도 바그너의 외도에 심하게 가슴앓이를 했다. 게다가 바그너와 후원자 루트비히 2세 사이에 그랬던 것처럼, 자신의 아들 지그프리트(Siegfried Wagner, 1869–1930)도 동성애자여서 코지마는 괴로워했다. 루트비히 2세는 동성애 기질을 가지고 있었고, 후에 바그너와 루트비히 2세의 관계가 악화된 데에는 코지마에 대한 국왕의 질투심이 작용했다는 설이 있다.

1883년 바그너와 코지마 부부는 베니스에서 대운하 연안에 세워진 르네상스 시대의 건축물 〈팔라초 벤드라민〉을 구경하고 있었

바그너와 코지마

다. 그러던 중 갑자기 바그너가 바닥에 쓰러졌고, 70세 생일을 두어 달 앞두고 바그너는 심장마비로 세상을 마감했다. 그의 시신은 곧 바이로이트로 옮겨졌고 반프리트 저택(Villa Wahnfried)에서 장례식이 치러졌다.

## "당신의 유업을 모두 정리하고 오느라 이리 늦었어요"

코지마는 큰 충격에 휩싸여 장례식에도 참석하지 못했다. 1876년 한스 리히터(Hans Richter, 1843-1916)의 지휘로 초연된 〈니벨룽겐의 반지〉를 시작으로 출범한 바이로이트 축제도 당분간 중단되었다.

코지마는 처음부터 바그너가 남기고 간 예술 세계를 자신의 힘으로 완성시키겠다고 생각한 것은 아니었지만, 결국 바그너 음악의 후계자가 되었다. 코지마가 맨 먼저 착수한 작업은 남편과 관련된 자료를 수집하는 일이었다. 특히 바그너가 주고받은 편지들을 모으는 일에 최선을 다해 6000여점에 달하는 편지를 수집했다.

코지마의 진두지휘 아래 바이로이트 페스티벌은 1886년 2년 간격으로 재개되었고, 이때 그녀는 〈트리스탄과 이졸데〉를 직접 연출했다. 1901년의 바그너의 원래 의도를 따라 1~3막 사이에 막간 없이 공연된 〈방황하는 네덜란드인〉으로 그녀의 명성은 확고하게 다져졌다. 이로써 코지마는 〈방황하는 네덜란드인〉 이후의 바그너의 모든 작품을 바이로이트에서 공연한다는 최초의 구상을 바그너가 죽은 지 약 20년 만에 마침내 실현시켰다.

실제로 코지마는 바그너와 마찬가지로 연출가로서의 재능이 많았다. 코지마의 연출 방식은 바그너가 완성시킨 바이로이트 양식에 극히 충실했다. 바그너의 연출 방법이 오페라의 극적 요소를 추구했다면, 코지마의 방식은 단지 "바그너가 그렇게 했다"는 이유만으로 맹목적으로 따르는 식이었다. 예를 들어 바그너는 "가수들은 객석 쪽을 바라보지 말아야 한다"고 말한 적이 있는데, 이는 가수들이 연기에 몰두하지 않고 관객들에게 자신의 얼굴을 보이기에만 관심 둔 것을 비판한 것이었지만, 코지마에게 그것은 무조건적으로 따라야 할 법칙이 되었다.

한 유명 여가수가 자신은 오페라의 어떤 부분에서 팔을 위로 뻗는 것이 더 자연스럽고 장면에 적합하다고 주장하였으나 코지마는 "바그너는 그렇게 하지 않았다"며 거부했다. 심지어 의상을 꿰매어 팔을 위로 들지 못하게 했다.

1906년 코지마는 외아들 지그프리트에게 총감독 자리를 물려주고 은퇴했다. 그러고도 24년을 더 산 뒤에 1930년, 93세의 나이로 세상을 떠났다. 코지마는 바그너가 사망한 후에도 무려 47년을 더 살면서 꿋꿋하게 바그너의 유업인 바이로이트 축제를 꾸려나갔다. 저세상에서 바그너를 만난 코지마는 이렇게 말했을 것이다. "당신의 유업을 모두 정리하고 오느라 이리 늦었어요."

# 버트런드 러셀

*Bertrand Russell*

98세(1872–1970)

"선량한 인생이 행복한 인생이다.
당신이 선량한 사람이어서
행복한 것이 아니라, 행복하다면
당신은 선한 사람이라는 뜻이다."

## 영국 정치의 명가, 러셀 가문

버트런드 러셀은 존 러셀 앰블리 자작(John Russell, Viscount Amberley, 1842-1876)의 둘째아들로 태어났다. 어머니 캐서린 루이자(Katherine Louisa, 1844-1874)는 에드워드 스탠리 남작(Edward John Stanley)의 딸이었는데, 존 러셀 경과 스탠리 경은 정치적 동지였다. 러셀의 대부(代父)는 유명한 공리주의 철학자이자 경제학자인 존 스튜어트 밀(John Stuart Mill, 1806-1873)이었다. 그러나 밀은 러셀이 태어난 지 1년 뒤에 사망해, 두 사람 사이에 실질적인 교류는 없었다. 밀은 평소에 "단지 관습이라는 이유로 행동하는 사람은 선택을 하지 않는다"라는 말을 했는데, 러셀은 그러한 밀의 저서를 통해 큰 영향을 받았다.

러셀은 나중에 밀과 비슷한 주장을 했다. "대부분의 남녀학생들은

교사의 가르침을 수동적으로 받아들이고 있다. 교사란 당연히 학생들보다도 더 많이 알고 있어, 학생들 입장에선 합리적으로 보이고, 또한 스스로 생각하는 수고로움을 덜어준다. 게다가 그것은 교사로부터 칭찬을 받게 되는 지름길이다. 그러나 지식을 수동적으로 받아들이는 것이 습관이 되면 그것은 장차 학생에게 큰 재앙이 된다. 그 학생은 자신이 지도자가 되려고 노력하기보다는, 아무 거부 없이 지도자를 받아들이며 또한 '구관이 명관이다'라는 식으로 이미 지도자 자리를 차지하고 있는 사람을 지도자로 인정하게 된다."

러셀의 부모는 그가 네 살, 두 살 때 사망했다. 어린 러셀은 조부모의 보살핌을 받고 자랐으나, 할아버지 존 러셀 경이 여섯 살 때 타계해서 유년기까지 전적으로 할머니 손에 맡겨졌다. 러셀의 할머니는 독실한 스코틀랜드 장로교 신자로, 정치적으로는 진보적인 사상을 가진 인텔리였다.

할머니는 손자를 자신의 남편 러셀 경처럼 장차 대영제국의 총리감으로 만들려고 엄격한 교육을 시켰다. 러셀에게 항상 출애굽기 제23장 2절 "다수를 좇아 불의에 가담하지 말라. 재판정에서 다수를 따라 그릇된 판결이 내려지도록 증언을 해서도 안 된다"를 끊임없이 되뇌었다. 할머니의 가르침은 러셀에게 큰 영향을 미쳤다.

나중에 러셀은 이렇게 말했다. "사람들은 '인간은 합리적 동물이다'라고 말한다. 하지만 나는 그 말을 뒷받침해 줄 증거를 찾기 위해 일생동안 노력해왔다."

러셀은 11세 때 수학의 확실성을 접하고 기뻐했으나 기하학의 공리(公理)가 증명할 수는 없고 다만 믿어야만 한다는 데 실망했다. 그후 러셀의 일차적 목표는 "얼마나 많이 알고, 어느 정도의 확실성이나 불확실성을 가져야만, 우리가 안다고 말할 수 있는가?"하는 문제를 탐구하는 것이었다.

## 캠브리지 사도회와 블룸즈버리 그룹

러셀은 1890년 트리니티 칼리지에 입학하여 기숙사에 들어갔다. 부모를 일찍 여읜 데 따른 심리적 상처를 갖고 있는 데다, 가정교사에게 단독으로 교육받은 까닭에 대학에 입학할 때까지 자신의 능력에 대해 어느 한 가지도 확신하지 못했다. 그러나 대학생 러셀은 곧 뛰어난 지적 능력을 인정받았고, 논객으로서 주목을 받았다. 동급생 무어(G. E. Moore, 1873-1958)와 친하게 지냈고, 알프레드 노스 화이트헤드(Alfred North Whitehead, 1861-1947)에게 배웠으며, 또 그의 주선으로 **사도회**(The Apostles)에 가입했다.

1893년 러셀은 수학과를 수석으로 졸업한 뒤 전공을 철학으로 바꾸어 1894년 윤리학 학위를 우등으로 마쳤다. 1895년 철학 학사학위를 취득했고, 같은 해 트리니티 대학의 특별장학금을 받는 연구원이 되었다.

## 첫 번째 결혼

1889년, 17세의 러셀은 미국대륙을 여행하던 중, 5세 연상의 퀘이커 교도 알리스 피어설 스미스(Alys Pearsall Smith, 1867-1951)를 만났다. 알리스는 근본주의 신앙운동 성결운동(聖潔運動)의 선구자인 피어설 스미스의 딸로서, 필라델피아의 명문 여자대학 비른마르 대학(Bryn Mawr College) 출신이었다. 1894년 22세의 러셀은 할머니의 반대에도 불구하고 27세의 알리스와 결혼했다. 그러나 결혼생활은 얼마 지나지 않아 금이 가기 시작했고 두 사람은 1921년 정식으로 이혼했다.

## 사회민주주의와 길드 사회주의에 대한 관심

1896년 러셀은 독일로 건너가 경제학을 연구했다. 사회민주주의

**사도회(The Apostles)**

1820년대, 나중에 영국국교회의 지브랄타 교구장이 된, 조지 톰린슨(George Tomlinson)의 주도하에 12명의 캠브리지 대학생들이 캠브리지 사도회(Cambridge Apostles)라는 비밀결사대를 만들었다. 사도들 중에는 알프레드 노스 화이트헤드와 버트런드 러셀을 비롯하여, 시인 알프레드 테니슨, 소설가 E. M. 포스터, 경제학자 케인스, 정부관료 앤서니 블런트, 가이 버제스, 금융가 빅터 로스차일드 등이 있었다. 이 비밀 그룹이 역사적으로 관심의 대상이 된 것은 두 가지 사건 때문이었다. 첫번째는, 1951년 영국정보부 MI5의 고위관료 4명이 소련의 스파이로 드러났는데 그 중 가이 버제스와 앤서니 블런트가 사도회 일원으로 밝혀졌기 때문이었다. 두번째는, 제1차 세계대전 직전 설립된 블룸즈버리 그룹(Bloomsbury group)을 사도회 멤버들이 주도했다는 사실이다. 1907-1930년 사이, 런던의 블룸즈버리 지역에 위치한 예술비평가 아서 클라이브 벨의 집에 작가, 철학자, 예술가들이 모여 지적 담론을 나누었는데, 자신들의 모임을 블룸즈버리 그룹이라고 명명했다. 블룸즈버리 그룹에는 버트런드 러셀, 케인스, E. M. 포스터 등 사도회 구성원들을 비롯해 소설가 버지니아 울프, 올더스 헉슬리, 시인 T. S. 엘리엇 등 당대의 지성들이 대거 참여했다.

자들로부터 마르크스주의를 처음 배웠고, 그 결과 정통 자유주의의 관점에서 쓴 최초의 저서 《독일 사회민주주의》(1896)를 출판했다. 러셀은 귀국 후 런던 정치경제 대학의 강사가 되어 같은 제목의 강의를 했다.

1898년 러셀은 캠브리지 대학교 교수가 된 친구이자 당시 대표적 철학자였던 G. E. 무어와 함께, 19세기 말부터 영국에서 유행한 학설인 헤겔의 '관념론'에 반기를 들고 '실재론'을 주장했다. 러셀이 보기에 헤겔 철학은 안개가 낀 날 얼핏 보이는 꽃마차와 같았다. 안개가 걷히면 아무것도 없듯이 실체가 없는 철학이었다. 러셀은 모든 지식은 직접적 경험에 토대를 두어야 한다고 생각했다.

1902년부터 러셀은 시드니 웹 부부가 주도하는, 점진적 사회주의자들의 모임인 페이비언 협회의 식사 모임 코에피시언츠 다이닝 클럽(Coefficients dining club)에 정기적으로 참여했다. 러셀은 1905년 수필집 《표시에 관하여*On Denoting*》을 발표했다. 일부 사람들은 《표시에 관하여》를 러셀의 분석철학의 출발점으로 보기도 한다. "유령은 존재하지 않는다"라는 말은 의미가 없다. 그 무엇이 존재하지 않는다고 말하는 표현이 의미있기 위해서는 뭔가가 먼저 존재하고 있어야 한다. 이런 실재론은 러셀의 논리분석의 출발점이었다.

1907년 러셀은 아버지의 정치적 신념이었던 여성의 참정권과 자유무역을 주장하면서 하원의원에 입후보했으나 낙선했고, 1908년 영국의 왕립협회의 회원이 되었으며, 1914년 영국 노동당에 가입했고 트리니티 칼리지의 강사가 되었다.

러셀은 1920년대 초 영국에서 일어나 그후 20년 동안 큰 영향을 미친 길드 사회주의(Guild Socialism)에 심취했다. 길드 사회주의는 모든 생산수단은 국가가 소유하면서 산업관리는 길드에 위임하려는 것이다. 길드 사회주의는 제1차 세계대전 동안 군수산업에서 좌익성향의 노동조합대표자운동이 일어난 뒤 더 활발해졌다. 길드 사회주의자들은 산업을 국유화해야 하며 노동자들이 민주적으로 조직된 전국 길드의 대표들을 통해 산업을 통제해야 한다고 주장했다. 그러나 노동조합대표자운동도 전쟁이 끝나면서 해체되고, 1921년 불황으로 국가의 재정지원이 중단되자 이 운동은 쇠퇴했지만 '노동자 지배'라는 원칙은 노동조합, 사회당, 노동당 등의 정치강령에 영향을 미쳤다.

## 투옥과 러셀의 역설

1916년 제1차 세계대전 동안 평화운동가로서 활동한 일로 인해 러셀은 100파운드의 벌금형을 받고 트리니티 칼리지 강사직에서도 해고되었다. 러셀이 해고당하자 미국 하버드 대학교가 그에게 교수직을 제안하였으나 영국 정부는 러셀에게 여권 발급을 거부했다. 2년 후인 1918년 영국의 한 주간지에 기고한 논문에서, 러셀은 독일이 제안한 강화조약을 거부하면 국가적 불이익이 예상된다고 주장한 것이 동맹군을 비방한 것으로 기소되어 6개월간 투옥 당하기도 했다.

하지만 당국의 특별한 배려로 러셀은 옥중에서도 자유롭게 책을 읽을 수 있었으며 글도 썼다. 러셀은 감옥에서 《수리철학 입문 *Introduction to Mathematical Philosophy*》(1919) 등 책을 썼다. 《수리철학 입문》은 이전에 화이트헤드와 함께 썼던 《수학원리》를 보다 쉽게 풀어 쓴 것으로 수리철학의 형성에 결정적인 역할을 했다. 수리철학은 20세기 초 '**러셀의 역설**'이라는 집합론의 모순이 발견된 이후, 수학의 한 분야로서 또는 철학의 한 분야로서 윤곽이 형성되었다.

러셀은 평생 '과학적인 세계관이 대체로 옳은 견해'라는 기본 전제를 바탕으로 철학에 대해 세 가지 주요 목표를 추구했는데, 첫 번째 목표는 논리적 분석이었다. 두 번째 목표는 논리학과 수학을 연결하는 것이었다. 세 번째 목표는 인간지식의 겉치레들을 최소

■ ■ ■

**러셀의 역설(Russell's paradox)**

러셀이 논리학을 전문적으로 공부하지 않은 일반인들도 이해하기 쉽게 러셀 자신이 예로서 설명한 것이 이발사 이야기이다.

"어떤 마을에, '스스로 이발을 하지 않는 사람들의 머리'를 이발을 해주는 단 한 명의 이발사가 있다고 하자. 이 이발사는 자신의 머리는 어떻게 할까? 첫째, 자신이 자신의 머리를 이발한다. 왜냐하면 그 마을에는 이발사가 달리 없기 때문이다. 이 경우 자신의 머리를 깎는 사람은 이발을 해주지 않는다('스스로 이발을 하지 않는 사람'에게 이발을 해주어야 하므로)는 명제와 어긋난다. 둘째, 이발사가 스스로 이발을 하지 않는다. 이 경우에는 '스스로 이발을 하지 않는 사람들의 머리를 깎는다'는 명제와 어긋난다. 요컨대 그 이발사는 스스로 이발을 해도, 하지 않아도 모순이다.

만약 백과사전에 "자기 자신을 포함하지 않는 모든 목록만의 목록"(Whereby Y is a member of Y, if and only if, Y is not a member of Y)과 같은 항목이 있을까? 러셀의 역설에 의해 이는 모순이다. 만약 자기 자신을 포함하지 않는다면 미완성이며, 포함한다면 틀린 명제가 된다.

한으로, 그리고 가장 단순한 표현으로 줄이는 것이었다.

러셀은 논리적 원자론 철학을 형성해가는 과정에서 자신의 제자였던 루트비히 비트겐스타인(Ludwig Wittgenstein, 1889-1951)의 기본학설에 많은 영향을 받았다. 비트겐스타인은 오스트리아의 제철업자의 8남매 중 막내로 태어나 프로펠러의 고안과 관련된 문제들 때문에 수학에 관심을 갖게 되었고, 1911년 캠브리지로 와서 러셀에게서 배웠다. 나중에 러셀은 "비트겐스타인은 내가 가르쳐야 할 모든 것을 금방 알아버렸다. 그는 아주 비상한 정열과 통찰력과 지적 순수성을 지닌 인물이었다"고 술회했고, 비트겐스타인을 알게 된 것이 자신의 삶에서 가장 흥미로운 지적 모험 가운데 하나였다고 말했다.

## 두 번째 결혼과 소련에 대한 두려움

1919년 러셀은 여성운동가 도라 블랙(Dora Black, 1894-1986)을 만나 사귀었다. 1920년에는 1917년 발발한 볼셰비키 혁명의 실태를 조사하기 위해, 정부 파견단의 일원으로 러시아를 방문했다. 러셀은 러시아 혁명에 대해 처음에는 호감을 갖고 있었으나 레닌(Lenin, 1870-1924)을 만나 장시간 토론을 한 후 그에게 실망했고, 잔인한 인상을 받았다.

러셀은 귀국 후 《볼셰비즘의 이론과 실천》을 출간했는데, 이 책은 러시아의 전체주의적 성격을 비판한 것으로, 후에 스탈린주의

라 불린 많은 부정적인 측면이 등장할 것을 예언했다.

당시 많은 지식인들이 좌익 성향을 가진 것과는 달리 러셀은 조지 오웰(George Orwell, 1903-1950)과 더불어 마르크스 이론과 볼셰비키 운동을 거부하고, 또 전체주의에 동참하지 않은 소수의 지식인이 되었다. 1920년 러시아를 방문한 후 잠재된 러셀의 공포심은 1949년 소련이 핵실험에 성공하면서 극에 달했다.

러시아 방문에는 애인 도라 블랙도 동행했는데, 여성해방 운동가인 도라는 러시아혁명에 강한 인상을 받았다. 러셀은 도라와 함께 북경에서 1년간 철학강의를 했다. 두 사람은 귀국길에 일본에 들렀고 1921년 8월 영국으로 귀국했다. 도라가 임신 6개월째였으므로 러셀은 서둘러 첫 번째 아내 알리스와 이혼하고 며칠 후 도라와 결혼했다. 러셀은 49세, 도라는 27세였다. 두 사람 사이에 존과 캐서린을 두었다. 이 무렵 러셀은 일반인을 대상으로 하는 물리학, 윤리학, 교육학 관련 저술로써 생계를 해결했으며, 그 사이 T. S. 엘리엇의 부인 비비언과도 염문을 뿌렸다.

1927년부터 러셀은 도라와 함께 대안학교 비콘힐 학교(Beacon Hill School)를 운영했다. 러셀의 장남 존은 심각한 정신질환을 앓았는데, 그 때문에 러셀과 도라는 자주 다투었다. 1932년 러셀은 비콘힐 학교에서 손을 뗐다. 1935년 도라가 미국인 기자와 관계를 맺음으로써 두 사람은 이혼했으며, 학교는 도라가 맡아 1943년까지 운영했다.

## 행복의 정복

"내가 읽은 성경 구절들 가운데는 지성(intelligence)을 찬양하는 부분이 단 한군데도 없었다"고 주장한 러셀은 1927년 영국비종교인협회 런던 남부지부에서 '나는 왜 기독교인이 아닌가?'라는 강연에서 자신이 기독교인이 안 되는 이유를, 철학자 겸 수학자답게 빈틈없는 논리로, 평화적 관점에서 기독교의 폭력성을 들추어냈다.

러셀은 1930년 《행복의 정복*The Conquest of Happiness*》에서 "당신이 잘 공헌하는 일이라면 그것이 무엇이든 실천하는 것이 행복에 도움이 된다"고 말했다. 그는 또 합리주의적 전통에 충실한 사회적 행복론을 제시했는데, '불행의 원인'은 자기몰입, 염세주의, 경쟁, 권태, 피로, 질투, 죄의식, 피해망상, 여론에 대한 두려움 등 9가지라고 정리했다.

자기몰입에는 세 가지 유형이 있는데, 죄인, 자기도취에 빠진 사람, 과대망상에 걸린 사람이라고 했다. 염세주의자는 이유 없이 불행한 사람으로, 인생에서 보람을 가질 만한 것이 더 이상 남아 있지 않다고 생각하는 사람이다. '경쟁을 신봉하는 사람'은 모든 상황을 경쟁적 상황으로 받아들이며, 경쟁에서 이기는 것만이 행복의 원천이라고 믿는 사람이다. 러셀은 인류가 저지르는 죄의 절반 이상이 권태 때문에 일어난다고 보았다. 권태는 '지금보다 더 나은 상황에 대한 상상'과 '현재 상황'을 비교하려는 경우에 생긴다고 보았다.

어떻게 사는 것이 가장 행복하게 사는 것인가? 러셀은 진실로 만족스러운 행복은 "우리들의 능력을 충분히 발휘하고, 우리가 살고 있는 세계를 가장 충실히 이해하는데 있다"고 말했다. 러셀은 이렇게 말했다. "선량한 인생이 행복한 인생이다. 당신이 선한 사람이어서 행복한 것이 아니라, 행복하다면 당신은 선량한 사람이라는 뜻이다."

### 세 번째 결혼, 그리고 히틀러에 대한 환상과 환멸

러셀은 1931년 형 프랭크 러셀(Frank Russell, 1865-1931)이 사망한 후 백작 작위를 물려받았다. 그러나 "귀족 작위라는 것은 호텔을 예약할 때 외에는 도움이 된 것이 없었다"고 폄하했다. 러셀은 1934년 《자유와 조직》을, 1937년에는 《앰벌리 페이퍼스》를 출판했는데, 두 권의 책을 집필하는 과정에서 패트리셔 스펜스(Patricia Spence)의 도움을 받았다. 그녀는 옥스퍼드 출신으로 1930년부터 러셀의 아이들의 보모로 일했다.

《앰벌리 페이퍼스》가 출간되기 직전인 1936년, 64세의 러셀은 패트리셔 스펜서와 세 번째 결혼을 했다. 두 사람 사이에 아들 콘라드가 태어났다. 사제지간이자 나이 차가 많은 두 사람의 결혼생활은 행복하지 못했지만, 러셀이 65세에 얻은 아들 콘라드는 나중에 역사가, 정치가로 활약했다.

평화주의자 러셀은 1938년 뮌헨회담에서 독일에게 체코의 수데텐 지방을 양도하기로 한 체임벌린 수상을 지지했다. 그러나 제2

차 세계대전이 일어나자 히틀러를 물리쳐야 한다고 주장했고, 미국에 체류하던 러셀은 히틀러와 싸우는 영국인들로부터 멀리 떨어져 있는 자신에 대해 죄책감을 느꼈다.

## 러셀의 두 얼굴, 성개방론자와 노벨 문학상 수상자

러셀은 1938-1939년 미국에서 강의한 뒤 1940년 뉴욕씨티 칼리지의 교수로 지명되었으나 곧 교수 임용이 취소되었다. 그가 반(反)기독교적 입장을 표명하고, 결혼생활에서 간통은 묵인될 수 있다는 등 성적 도덕성에 관한 분방한 견해가 부적절하다는 이유에서였다. 그의 교수 임용 취소 조치에 항의하여 존 듀이(John Dewey) 등 명사들이 항의했으나 임용 취소는 번복되지 않았다. 대신 러셀은 반스 재단(Barnes Foundation)의 후원으로 일반인을 상대로 철학강의(5년 동안 강의 계약을 맺었으나 1943년 계약 취소)를 했고, 시카고 대학교와 UCLA에서 잠시 강의를 한 후 1944년 영국으로 귀국했다. 러셀은 곧 트리니티 칼리지의 강사 겸 연구원으로 임명되었고, 그 직후 BBC 방송의 〈브레인스 트러스트〉 프로그램에 출연하여 유명세를 타기 시작했다. 1945년 8월 원자폭탄이 일본의 두 도시를 잿더미로 만들자, 러셀과 아인슈타인은 새로운 무기의 엄청난 위험에 대해 경고하고 반핵운동을 벌였다.

1946년 러셀은 그간의 강의 결과물을 묶어 《서양철학의 역사》로 발표했다. 이 책은 곧 베스트셀러가 되었고 인세가 러셀의 주요 수입원이 되었다. 1948년 《인간의 지식, 그 범위와 한계》를 출판했고, 1949년에는 BBC 〈리스 강좌〉의 첫 번째 강연자가 되었으며, 같은 해 대영제국 왕실이 수여하는 메리트 훈장(Order of Merit)을 받았다. 1950년에는 노벨 문학상을 수상함으로써 러셀은 20세기 동시대의 그 누구보다도 명성과 존경을 누렸다.

## 마지막 결혼과 최후의 십자군

1952년 80세의 러셀은 패트리셔와 불행한 결혼생활을 끝내고 그 해 12월, 네 번째이자 마지막 결혼을 했다. 상대는 뉴욕에서 태어나 옥스퍼드 대학교 힐다 칼리지(St Hilda's College, Oxford)를 졸업하고 비른 마르 대학에서 영문학을 강의하던 에디스 핀치(Edith Finch, 1900-1978)였다. 러셀에게는 이번이 가장 행복한 결혼이었다. 에디스는 여러 면에서 러셀에게 도움을 주었다.

러셀은 1954년 비키니 섬의 수소폭탄 실험에 대해 BBC 방송을 통해 '인간의 위험'이란 제목으로 맹렬히 비난했고, 1955년 러셀과 아인스타인은 당대 유명한 11명의 핵물리학자와 지식인들의 서명을 받아 핵무장 해제를 제안하는 러셀-아인슈타인 선언문(Russell-Einstein Manifesto)을 발표했다. 핵에너지가 문명을 파괴할 것이라는 두려움 때문에 러셀은 1950년대와 1960년대 지식인으로서 자신의 최후의 십자군 역할, 즉 핵무장해제운동을 주창했다.

1956년 힝기리 시민혁명이 소련에 의해 진압된 후 휴머니즘에

러셀과 아인슈타인의 반핵운동

입각한 마르크시즘을 추종하는 신좌파가 등장했다. 이후 신좌파는 사회주의, 무정부주의, 트로츠키주의, 모택동주의, 카스트로주의, 흑인해방운동, 여성해방운동, 반전운동, 68학생혁명 등으로 확산되었다. 이들을 관통하는 하나의 키워드는 참여 민주주의였다. 이 중에서 NGO적으로 조직화된 대표적 운동이 1958년 시작된 핵무기반대운동(Campaign for Nuclear Disarmament, CND)이다.

러셀은 1959년《나의 철학적 성장*My Philosophical Development*》과 몇 개의 논평을 제외하고는 관심을 철학에서 국제정치로 돌렸다. 1960년대 러셀은 미국정부가 베트남에서 점점 더 대규모 살육을 획책하고 있다는 식으로 비난했다. 1965년 러셀은 자신이 가입해 있었던 노동당이 베트남 전쟁에 파병을 추진한다고 단정하고 노동당 당원증을 찢어버렸다. 러셀은 신좌파 학생들에게 영웅이 되었고 전세계 젊은이들과 좌파 지식인들에게 큰 영향을 미쳤다. 러셀은 핵무장 반대운동의 대표로 선출되었으나 1960년 사임하고 더욱 투쟁적인 '100인 위원회'를 구성했다. 이 모임은 대규모의 시민불복종 운동을 일으킨다는 공식 목표를 내걸었고, 1961년 러셀은 아내 에디스와 함께 직접 대규모 연좌농성을 이끌기도 했다. 이 사건으로 두 사람은 2개월의 금고형을 선고받았으나 건강상의 이유로 일주일로 감형되었다.

1962년 90세의 고령에 러셀은 쿠바 위기와 중국과 인도의 국경분쟁에 대해 발언했고, 1963년 케네디 대통령이 흉탄에 스러지자 '케네디 암살 진상조사위원회' 의장을 맡았다. 1966년 미국의 베트남 정책을 공격하면서 국제전범재판소를 소집했다. 1969년 알렉산드르 솔제니친(Aleksandr Solzhenitsyn)이 소련 작가연맹에서 축출된 데 항의하여 코시긴(Alexei Kosygin) 수상에게 항의서한을 보냈다. 1970년 1월 31일 이스라엘이 아랍지역을 공격한 것에 대해 비난 성명을 내면서 이스라엘이 1967년부터 점령하고 있던 영

대규모 반핵운동을 이끈 러셀과 에디스(1961)

토에서 철수할 것을 요구했다.

1970년 2월 2일 98세의 러셀은 책을 읽던 중 갑자기 쓰러졌다. 아내 에디스가 급히 산소호흡기를 갖다대고 의사에게 연락을 취했으나 러셀은 의사가 도착하기 직전 98년간의 긴 지적 탐구생활을 마감했다. 장례식에는 러셀의 유지에 따라 종교적인 의식은 없었다. 3일 후 사체는 화장되었으며 유해는 그해 말 웨일즈의 야산에 뿌려졌다.

러셀은 20세기 지식인 가운데 철학, 수학, 과학, 윤리학, 사회학, 교육, 역사, 정치학, 논쟁술 등 다양한 분야에서 지속적으로 영향을 미친 인물이었다. 그리고 다방면으로 40권 이상의 책을 출간했다. 그의 사상은 두 개의 주제를 갖고 있었는데, 하나는 절대적이고 확실한 지식의 탐구이고, 다른 하나는 인간의 삶에 대한 관심이었다. 그것을 가능하게 한 것은 러셀의 탁월한 지능과 휴머니즘적 감수성 덕분이었다. 러셀은 98세로 세상을 떠날 때까지 유명인사였다. 죽는 날까지 자신의 믿음에 따라 행동했고, 죽는 그 날에도 책을 읽고 있었다.

# 조지 버나드 쇼

*George Bernard Shaw*

94세(1856–1950)

"우물쭈물하다 내 이럴 줄 알았지"라고
말하지 않았다.

## 버나드 쇼를 유명하게 만든 묘비명

많은 사람들이 조지 버나드 쇼(George Bernard Shaw, 1856–1950)의 이름을 안다. 그의 이름이 널리 알려진 이유는 그가 노벨문학상을 받은 희곡 작가이자 유명한 비평가여서라든가, 혹은 영어철자 개혁가여서가 아니다. "우물쭈물하다 내 이럴 줄 알았지"라는 시니컬한 묘비명 때문이다.

쇼의 시신은 유언에 따라 화장되었고, 그의 유해는 7년 전 먼저 세상을 뜬 아내의 유해와 섞여 자신의 저택 정원 내 잔 다르크 석상 주변에 뿌려졌다. 그곳에 그의 어록을 새긴 묘석이 있긴 하지만, 엄밀히 말해 묘는 없다. 게다가 그가 마지막 남긴 "I knew if I stayed around long enough, something like this would happen"이라는 말은, 평소 시니컬하게 말했던 쇼였기 때문에, 많은 사람들이

"세상에 목적 없이 어영부영하다가는 기여한 것도 없이 빨리 죽는다"라는 의미로 해석한 것이지만, 사실은 조금 다르다.

만년의 버나드 쇼는 런던 북쪽의 에이요트 세인트 로렌스(Ayot St. Lawrence)에 있는 자신의 대저택에 칩거하며 정원을 가꾸는데 많은 시간을 보냈다. 평소 신장 질환으로 건강이 나쁜데다가 설상가상으로 나무 가지치기를 하다가 떨어져 크게 다치는 바람에 1950년 94세에 갑작스레 생을 마감했다. 당시로서는 보기 드물게 긴 수명이었다. 평소 쇼는 "인간은 자아완성을 위해서는 오래 살아야 한다"는 지론을 갖고 있었고, 지병이 있긴 했지만 사고로 인한 후유증이 사망의 주 원인이었다. 게다가 임종을 앞두고 의사에게 투덜댔다. "당신은 마치 골동품처럼 내 생명을 보존하려고 하는구려."

따라서 죽기 직전 쇼가 한 말의 뜻은 다음과 같다. "충분하다고 할 만큼 (세상에) 오래 머물다 보면, 결국 이런 일을 당해 죽게 될 줄 진작 알고 있었어."

## 아일랜드 감자 대기근과 더블린

17세기 이후 아일랜드 사람들은 식량을 대부분 감자에 의존하고 있었다. 1843년 미국에서 감자마름병이 발생했고, 1845년에는 유럽을 거쳐 그해 10월 중순경 불과 2,3개월만에 아일랜드 전역에 급속히 퍼졌다. 아일랜드는 대흉년이 들었고, 영양실조와 각종 질병이 만연했다. 사람들은 기근을 피해 유럽이나 신대륙으로 이동하여 1841년 800만 명이던 인구가 1851년에는 650만 명으로 줄어들었다. 후유증은 계속되어 1920년대에는 인구가 1845년의 절반 수준까지 감소했다. 아일랜드는 감자마름병으로 인해 완전히 붕괴되었다.

조지 버나드 쇼는 감자 대기근의 후유증이 채 가시지 않은 1856년 7월 26일 더블린 싱게 스트리트(Synge Street)에서 아버지 카 쇼(Carr Shaw, 1814-1885)와 어머니 루신다(Lucinda Elizabeth Shaw, 1830-1913) 사이의 막내로 태어났다. 위로 두 누이, 루시(Lucinda Frances, 1853-1920, 뮤지컬 및 오페레타 가수)와 아그네스(Elinor Agnes, 1854-1876)가 있었다.  쇼의 아버지는 가톨릭 국가인 아일랜드에서 당시 급속히 늘어나는 소수 아일랜드 신교도에 속한 하급 공무원이었다. 아버지는 공무원을 그만두고 곡물상을 경영했지만 실패하자, 그 충격으로 알코올중독자로 전락하여 생을 마감했다. 어머니는 직업 성악가였다. 그녀는 남편의 주벽으로 인한 고통스런 결혼생활을 음악으로 달래며 살고 있었다. 어쨌든 쇼의 부모는 자식들을 잘 양육하는 사람이 아니었다.

쇼는 어머니로부터 음악적 재능을 물려받은 데다 모친의 음악선생인 조지 존 반달러 리(George John Vandaleur Lee)의 영향으로 오페라를 즐겼고, 미술관을 자주 찾았다. 그런 덕분에 어린 시절부터 음악, 미술, 문학 등에 폭넓은 지식을 갖출 수 있었고, 훗날 음악평론을 쓰는 밑거름이 되었다. 말하자면 그는 가난하면서도 귀족 행세를 하는 집안에서, 자식들에게 무관심한 부모 밑에서 제대로 된 따뜻한 가정교육을 받지 못하고 유년기를 보낸 셈이었다.

쇼는 처음에는 가정교사의 지도로 공부를 시작했고 친척인 목사에게 라틴어를 배웠다. 11세 때에 감리교가 운영하는 웨슬리언 부속 초등학교에서 잠시 공부했고, 더블린 영어 과학 상업학교를 끝으로 14세에 학업을 마쳤다. 성적도 나빴고 학교의 분위기도 싫었다.

쇼는 학교와 교사에 대해 평생토록 적개심을 가졌는데, 자신이 정규교육에 대해 혐오감을 품은 이유에 대해 《부모와 아이들에 대한 논고*Treatise on Parents and Children*》(1914)에 상세히 설명했다. 정규 과목은 쓸모없는 것으로 학생들의 정신을 계발하거나 재능을 발휘하지 못하게 만든다는 것이다. 특히 당시 횡행하던 체벌을 크게 반대했다. 쇼는 이렇게 말했다. "오늘날 종종 보는 것처럼 학교와 교사들은 존경받지 못하고 있으며, 학교와 교사는 학생들이 부모의 말을 거역하지 못하도록 부모를 대신하여 감시하는 감옥이나 간수에 지나지 않는다."

당시에는 정규교육을 받지 않고 15세에 직업을 갖는 것은 흔한 일이었다. 불량학생으로 학업을 마친 쇼는 부동산 중개업소의 사무직으로 사회생활을 시작했다. 지주를 대신해 소작농에게 소작료를 수금하는 등의 일이 못마땅하긴 했지만, 일은 똑 부러지게 잘 처리했다. 쇼가 15세 될 무렵 부모의 결혼생활이 드디어 파경을 맞았다. 1871년 쇼의 어머니는 두 딸들이 성악가로서의 경력을 더 쌓도록 하기 위해 음악선생 반달러 리와 함께 런던으로 떠났다.

1876년 20세가 된 쇼는 원대한 뜻을 품고 더블린을 떠나 런던의 모친에게 갔다. 그때부터 대영제국 박물관과 도서관에서 열심히 공부했고, 학생 때 미처 읽지 못했던 책들을 읽으며, 소설을 쓰기 시작했다. 저녁에는 당시 런던 중류계급 지식인들 사이에 성행한 강의와 논쟁에 참석하여 부족한 지식을 보충했다.

그는 잠시 전화회사에 취직했지만 회사가 다른 회사와 통합되는 바람에 실직하자, 평생 동안 문필 생활을 할 것을 결심했다. 1881년 25세의 쇼는 자신의 직업을 '소설가'로 밝혔지만, 그의 초기 소설은 완전히 실패했다. 1879-1883년 사이, 작가로서 초기 시절에 쓴 최초의 소설이자 반자전적인 소설 《미성숙*Immaturity*》(1931년 출판)을 비롯하여 5편의 소설과 10여 년 간 언론에 기고한 대부분의 글이 출판사로부터 퇴짜를 맞았다. 작가로서의 수입은 전혀 없었다. 쇼는 20대 내내 계속되는 좌절과 빈곤을 겪어야만 했고, 소설가로서는 실패했지만 자아를 발견했다. 그는 채식주의자, 사회주의자, 청중을 사로잡는 연설가, 논객, 극작가로서 경험을 쌓아갔다.

## 아무도 뜻을 모르는 필명

고향 아일랜드에 대한 사색과 독서를 통해 자생적 사회주의자가 된 쇼는 헨리 조지(Henry George, 1839-1897)의 영향을 받아 토지세의 도입을 주장하고, 개인의 부는 오직 개인의 노동의 양에 따라 축적되어야 하며, 모든 사람들에게 동일한 임금을 지급하여 빈곤을 타파할 수 있다고 생각했다. 그러나 강경하게 개혁을 주장하는 사회민주연합(Social Democratic Federation, SDF)에는 참여하지 않았다. 그 대신 1884년 시드니 웹(Sidney James Webb, 1859-1947) 부부 등, 영국 중류계급 출신의 사회주의자들이 새롭게 창설한 페이비언 협회(Favian Society)의 창립 멤버가 되었다. 이 협회는 혁명이 아닌 지적, 정치적 생활의 '침투'를 통해 점진적이고 평화적인 방법으로 영국 사회를 변화시킨다는 목표를 가지고 있었다. 버나드 쇼는 이 협회의 모든 활동에 적극 참여했으며 영국 사회주의의 고전이 된 《사회주의에 대한 페이비언적 연구*Fabian Essays in Socialism*》(1889)라는 책을 편집하고 2개의 장을 직접 썼다.

쇼는 영국 노동당의 창당에도 관여했고, 1894년 런던경제대학(London School of Economics)을 설립하는 데에도 중추적인 역할을 했다.

작가로서 그가 제대로 재능을 펼친 분야는 희곡이었다. 그러나 본격적으로 돈을 벌게 된 최초의 작품들은 문학과 음악 비평 분야였다. 쇼는 입센의 희곡들을 영어로 번역한 윌리엄 아처(William Archer, 1856-1924)의 주선으로 1885년 〈팔말 가제트〉지의 편집인이 되어 바셋 호른(basset horn)이라는 뜻의 '코르노 디 바세토'(Corno di Bassetto)라는 이탈이아식 필명으로 글을 썼다. 이 필명을 사용한 이유는 영국에서는 아무도 무슨 뜻인지 모를 것이기 때문이었다.

쇼의 말은 늘 이런 식이었다. "나의 유머는 진실을 전달하기 위한 수단이다. 나의 유머는 세상에서 가장 재미있는 유머이다." 그래서 '버나드 쇼 스타일의 아이러니를 동반한 멋진 유머'를 뜻하는 영어 단어 'shavian'이 영어 사전에 등재되기도 했다.

쇼의 진면목이 드러나기 시작한 것은 프랭크 해리스(Frank Harris)의 주선으로 〈새터데이 리뷰〉지의 연극평론가(1895-98)로 위촉되면서부터였다. 쇼는 재치와 언변을 동원해 빅토리아 시대의 허위와 위선에 찬 무대를 생명감 넘치는 무대로 쇄신시킬 운동을 전개했다. 이 잡지를 통해 위선적인 빅토리아 시대 연극을 비판하고 현실을 바탕으로 한 사색적인 연극으로 바꾸기 위해 애썼다. 연극 비평으로 얻는 수입으로 생계를 유지하는 한편, 〈새터데이 리뷰〉에 기고한 글로 명성을 쌓아갔다.

〈새터데이 리뷰〉의 연극 비평에서 쇼는 노르웨이 작가 헨리크 입센(Henrik Johan Ibsen, 1828-1906)의 작품들을 집중적으로 다루었다. 쇼는 윌리엄 아처의 번역으로 공연한 입센의 극이 호된 비난을 받자 아처를 변호하였으며, 쇼 자신도 입센을 연구하여 《입센주의의 정수*Quintessence of Ibsenism*》(1891)를 발표했다.

## 이사도라 덩컨으로부터 프러포즈를 받다

미국 샌프란시스코 태생의 미모의 무용수 이사도라 덩컨(Isadora Duncan, 1878-1927)이 버나드 쇼에게 다음과 같은 편지를 보냈다. "우생학적으로 보면 우리 둘이 결혼하여 아이를 만든다는 것은 매

이사도라 던컨

우 옳은 일이지요. 나의 육체와 당신의 두뇌를 가진 멋진 자식을 생각해 보세요." 쇼는 그에 대한 답장을 보냈다. "그럴 수도 있겠지만, 만약 불행하게도, 나의 육체와 그대의 두뇌를 가진 애가 태어난다면 어떻게 되지요?"

쇼는 비평서와 정치적 작품을 계속 왕성하게 발표하는 한편 관념극까지 쓰느라 과로로 중병에 걸렸다. 병환중인 쇼를 한살 아래의 여성운동가 샬로테 페인타운센드(Charlotte Payne-Townshend, 1857-1943)가 돌보아 주었다. 그녀는 페이비언 협회 회원이자 부유한 아일랜드 출신 여성이었다. 그런 인연으로 1898년, 42세의 쇼는 샬로테와 결혼했다. 하지만 두 사람은 섹스를 하지 않고 자식도 낳지 않기로 했다. 1906년부터 두 사람은 오늘날 쇼 코너(Shaw's Corner)로 불리는 에이요트 세인트 로렌스에 거처를 정하고, 40년 넘는 여생을 이곳에서 지냈다. 1943년 제2차 세계대전 중에 아내 샬로테가 지병으로 죽자 쇼는 극심한 상실감에 시달렸고, 1950년 그 역시 쇼 코너에서 죽었다.

## 노벨상과 아카데미 각본상을 함께 수상한 유일한 사람

쇼는 20세기에 들어서 그의 최대 걸작 〈인간과 초인*Man and Superman*〉(1903년 완성, 1905년 공연)으로 세계적인 극작가가 되었다. 이것은 종래의 〈돈 후안〉과는 반대로, '쫓기는 자는 여성이 아니라 오히려 남성'이라고 주장한 작품이었다.

1910년 그는 명성을 확고히 다졌는데, 〈패니의 첫 번째 연극*Fanny's First Play*〉(1911), 〈피그말리언*Pygmalion*〉(1912) 등은 장기 공연 되었다. 특히 후자는 1938년 〈마이 페어레디*My Fair Lady*〉로 각색되어 그에게 아카데미 각본상을 안겨주었다.

쇼는 글쓰기를 자신의 휴머니즘과 정치적 주장을 피력하기 위한 수단으로 보았다. 그러나 그의 작품이 일반 대중에게 인기를 얻은 것은 그 내용이 코믹했기 때문이었다. 대중은 쇼가 전달하려는 메시지는 무시하고, 연극 자체를 순수한 오락거리로 보았다.

쇼는 제1차 세계대전 후, 사람들이 비관주의의 나락으로 빠져드는 것을 경계하기 위해 1921년 〈므두셀라로 돌아가라*Back to Methuselah*〉를 발표했다. '형이상학적 생물학 5경'이라는 부제가 붙은 이 작품은 구약성서에 등장하는, 969세까지 살았다는 인물 므두셀라(창세기 5:25–27)를 모티프로 했다. 에덴동산에서 시작하여 AD 1920년까지의 드라마틱한 이야기를 통해 창조적 진화라는 자신의 철학을 설명한 5편의 연작 희곡이다.

이어 1923년에 발표한, 잔 다르크(Joan of Arc, 1412– 1431)를 모델로 한 〈성녀 조안*Saint Joan*〉은 쇼의 대표작 중의 하나로 손꼽힌다. 오랫동안 잔 다르크에 대해 글을 쓰려고 구상해왔던 그는 1920년 5월 16일, 잔 다르크가 성인품(聖人品)에 오르자 다시 한번 자극받아 이 작품을 완성했다. 이 작품은 세계적으로 성공을 거두고 나중에 노벨문학상을 수상하는 밑거름이 되었다.

쇼는 1925년 노벨문학상을 받았고 또 1938년에는 희곡 〈피그말리온〉이 〈마이 페어 레이디〉라는 제목의 영화로 제작되어 아카데미 각본상을 받았는데, 두 상을 모두 받은 사람은 그가 유일하다. 쇼는 자신이 공개적인 명예를 누리는 것을 바라지 않았으므로 노벨상 수여 소식에 즉각 "노벨이 다이너마이트를 발명한 것은 용서할 수 있지만 세계문학상을 생각해낸 건 참 말이 안돼"라고 내뱉

었고, 수상 거부의사를 밝혔다. 그러나 노벨상을 개인적인 영광을 넘어 아일랜드에 대한 영광으로 생각한 아내의 요청으로 쇼는 결국 수상을 수락했다. 상금은 스웨덴 문학 서적을 영어로 번역하는 사업에 기부했다.

쇼는 젊은 시절 사회주의로 향한 점진적이고도 민주적인 변화를 지지했지만 제1차 세계대전 후에는 '강력한 지도자가 이끄는 정부'에 한층 더 희망을 걸었다. 쇼의 이런 관점은 독재자의 등장 가능성을 고려하지 않았다. 따라서 만년의 그는 강력한 지도자가 이끄는 정부에 대한 희망마저 접게 되었다.

1930년대 소련을 방문하여 스탈린을 만난 후 쇼는 스탈린 찬양자가 되었고 1933년 작 〈바위 위에〉의 서문은 일차적으로 스탈린의 정치강령에 따라 추진된 유대인 학살을 합리화한 것이었다. 쇼는 스탈린이 추진한 **리센코이즘**(Lysenkoism)을 옹호하는 글도 썼다.

그러한 친스탈린 성향을 지닌 쇼에게 누군가 "왜 그렇게 좋은 지상 천국 소련에 영원히 정착하지 않는가?"라고 질문하자, 그는 농담조로 "영국은 지옥이고, 나는 작은 악마이기 때문이지요"라고 대답했다.

**리센코이즘(Lysenkoism)**
스탈린 시대 농생물학자 리센코(T. D. Lysenko, 1898-1976)가 주장한 학설로, 환경조건이 바뀌면 생물학적 변화가 일어나며, 이렇게 획득된 형질은 유전된다는 이론이다. 변증법적 유물론의 과학적 근거가 되기도 했던 이 이론은 소련 공산당에 의해 프롤레타리아의 학문으로 공인됐다. 반면 정통 유전학은 부르주아 학문이라는 낙인을 찍어 학계에서 숙청했다. 권력자가 된 리센코는 자신을 비판하는 학자까지 처형하기도 했다.

제2차 세계대전 동안 극작을 중단했던 쇼는 전후 90세에도 희곡 〈낙천적인 억만장자*Buoyant Billions*〉(1947), 〈셰이크스 대 셰이브*Shakes Versus Shav*〉(1949) 등 초기에 보여준 날카로움의 흔적이 엿보이는 몇몇 작품을 발표했다. 쇼는 자신의 마지막 장편 〈낙천적인 억만장자〉의 첫 장에서 주인공의 입을 통해 말했다.

"대중의 95퍼센트가 정치를 이해하지 못하고, 게다가 지도자 없이는 방황만 할 뿐인데 왜 우리가 대중에게 호소해야 하는가? 그리고 대중은 어떤 지도자를 뽑는가? 친가톨릭 음모를 꾸민 티투스 오츠(Titus Oates, 1649-1705, 영국의 찰스 2세를 살해하려는 음모를 꾸민 해군 군종 사제)와 '고든 폭동'을 일으킨 조지 고든 경(Lord George Gordon, 1751-1793, 노예해방에 반대하는 폭동을 일으키고 영국의회를 향해 시위를 벌인 스코틀랜드 출신 귀족), 유태인들을 말살하자고 선전한 히틀러(Adolf Hitler, 1889-1945), 모든 외국인들을 노예로 만들고 제국의 영광을 다시 찾으려는 국수주의적 꿈을 외친 무솔리니(Benito Mussolini, 1883-1945)와 같은 사람들을 뽑지 않았는가 말이다."

## 영웅의 등장을 기다린 온건한 사회운동가

쇼는 17세기 이후 영국의 가장 중요한 극작가로서 당대 가장 뛰어난 극작가 이상의 역할을 했다. 쇼는 희곡을 책으로 출판할 때는 긴 서문을 덧붙였다. 서문은 희곡 그 자체에 대한 것이라기보다는 희곡이 제기하는 사회문제에 대한 자신의 견해를 밝히는 쪽이었다. 쇼의 서문은 종종 희곡보다도 더 길었다. 1막짜리 희곡 〈블랑코 포스넷의 출현*The Shewing-up Of Blanco Posnet*〉(1909)의 펭귄판은 극본은 29페이지인데 서문은 67페이지나 되었다.

쇼가 살았던 94년의 긴 세월 동안, 영국의 통치자는 빅토리아 여왕, 에드워드 7세, 조지 5세, 에드워드 8세, 조지 6세 등 다섯 명이나 바뀌었다. 이 기간은 영국의 역사에서도 특히 역동과 변혁의 시기였다. 그런 시대에  쇼는 도덕적 열정과 지적 갈등 및 논쟁이 담겨 있는 극을 발전시켰으며, 풍속극을 재생시키고, 상징적 소극과 이단적인 극을 과감히 시도함으로써 연극의 개념을 새롭게 정립했다. 쇼는 자신의 대담한 비평적 관점을 많은 다른 분야에까지 확장하여 그가 살았던 시대의 정치적, 경제적, 사회적 문제에 관한 비범한 연사이자 평론가였고, 동시대의 사상 형성에 크게 기여한 인물이었다.

조지 버나드 쇼는, 초인과 영웅이 등장하여 세상을 아름답게 만들어주기고 바랬던 온건한 사회개혁운동가였다. 그러나 결국 그것은 환상이었음을 고백했다.

생전의 쇼는 자서전을 쓰지 않았는데, 이유를 묻는 질문에 이렇게 대답했다.

"나는 개인적으로 자서전을 쓸 이유가 없는 사람이오. 나는 사람을 죽인 적도 없으며, 영웅적인 모험을 한 적도 없었고, 나에게는 큰 일이 일어난 적도 없소. 오히려 세상은 나 때문에 큰일났지요. 그 큰일이란 바로 나의 소설과 희곡들이오. 나의 작품들을 읽고 또 구경하면 내가 누군지 알게 될 거요. 나머지는 오직 하찮은 것들이오. 아침 먹고, 점심 먹고, 저녁 먹고, 단추를 잠그고 또 풀고, 자고 깨고 씻고… 그런 것들은 다른 사람들과 다를 바가 없어요."

노년의 탄생

1판 1쇄 발행 | 2009년 5월 15일
1판 2쇄 발행 | 2009년 12월 15일

지은이 | 이재규
펴낸곳 | 사과나무
펴낸이 | 권정자
북디자인 | 디자인 모아
등록 | 1996년 9월 30일(제11-123)
주소 | 경기도 고양시 행신동 샘터마을 301-1208

전화 | (031)978-3436
팩스 | (031)978-2835
이메일 | bookpd@hanmail.net
값 13,000원

ISBN 89-87162-87-4 03320